図解 わか

住宅ローン

2022-2023年版

ファイナンシャルプランナー
ストックアンドフロー代表
浅井秀一 著

新星出版社

住宅ローンの
ポイント
1
2022年度

住宅ローン控除の改正内容

控除限度額が住宅の「性能」別で設定

令和4年度税制改正で、住宅ローン控除の見直しが行われました。

従前の制度では、「消費税率引き上げに対する補填」という観点から控除の対象となる年末のローン残高が設定されていました。

具体的には「2,000万円」を基本額とし、消費税がかからない個人間取引の中古住宅は加算なし。消費税がかかる新築住宅のうち「長期優良住宅」では3,000万円を上乗せする（=合計5,000万円）、などの仕組みだったのです。

しかし、今回の改正ではこれを全面的に改めました。新しい制度では基本額を2,000万円に据え置く一方で、「住宅の環境性能」（具体的には「省エネルギー性」）という観点から加算額を設定しています（右ページ参照）。

とくに注目されるのが、2024（令和6）年以降に一定の省エネ基準を満たさない新築住宅を取得する場合は住宅ローン控除が受けられなくなる、という点でしょう。環境への配慮と住宅の性能向上を促す税制に転じたわけです。

年末残高に対する控除率も引き下げ

もうひとつのポイントが、しばしば指摘された「益税」問題への対応です。

従前のローン控除では、原則として年末残高の1%が税額控除されていましたが、ローン金利のほうは変動金利型だと0.5%前後の水準も珍しくありません。この結果、「支払う利息よりも返ってくる税金のほうが多い」という逆転現象さえ起こっていました。超低金利どころか、「マイナス金利」で住宅ローンを借りている人も非常に多かったのです。

この問題に対する規制強化として、年末残高に対する控除率が「0.7%」へと引き下げられました。利用するローンによってはまだ益税状態が続きますが、減税額自体は大きく減っています。

長期優良住宅を例にとると、年間50万円（5,000万円×1%）の最大控除額だったのが、2023年末までは35万円（5,000万円×7%）、2024～25年末までは31.5万円（4,500万円×7%）に下げられました（右ページ参照）。

詳しい内容については162ページ以降で解説してありますので、そちらも合わせて、しっかりとご確認ください。

● 住宅ローン控除の控除対象限度額（年末残高の上限）

取得等する住宅の区分			入居する年				控除期間
			2022年	2023年	2024年	2025年	
新築住宅 買取再販 ※1	①	認定長期優良・認定低炭素住宅	5,000万円		4,500万円		13年
	②	ＺＥＨ水準省エネ住宅	4,500万円		3,500万円		
	③	省エネ基準適合住宅	4,000万円		3,000万円		
	④	その他の住宅	3,000万円		2,000万円 ※2		13年 ※3
既存住宅 増改築	⑤	認定住宅等（上記①～③と同水準）	3,000万円				10年
	⑥	その他の住宅 ※4	2,000万円				

※1：住宅ローン控除における【買取再販】は、「登録免許税の特例措置」の要件を満たす買取再販住宅（宅建業者が取得後にリフォーム工事を行った上で販売する住宅）に限定。
※2：一定の環境性能基準を満たさない【新築住宅】は、経過措置を除いて適用対象外となる。
※3：2024 年以降に入居する場合は「10 年」となる。
※4：登録免許税の特例措置の対象とならない「買取再販住宅」を含む。

● 住宅ローン控除の最大控除額

取得等する住宅の区分			2022～2023年入居	2024～2025年入居
新築住宅 買取再販	①	認定住宅	35万円×13年（455万円）	31.5万円×13年（409.5万円）
	②	ＺＥＨ水準	31.5万円×13年（409.5万円）	24.5万円×13年（318.5万円）
	③	省エネ基準	28万円×13年（364万円）	21万円×13年（273万円）
	④	その他	21万円×13年（273万円）	0 or 14万円×10年（140万円）
既存住宅 増改築	⑤	認定住宅等	21万円×10年（210万円）	
	⑥	その他	14万円×10年（140万円）	

※（　）内の金額は控除期間における合計額の最大値。

●「ＺＥＨ水準省エネ住宅」とは？

・省エネ性能において「ＺＥＨ基準」（注）を満たす住宅
・住宅ローン控除においては「断熱等性能等級（断熱等級）５」、かつ「一次エネルギー消費量等級（一次エネ等級）６」、の性能が必要

（注）「ＺＥＨ（ゼッチ）」とは、Net Zero Energy House（ネット・ゼロ・エネルギー・ハウス）を略した用語です。「断熱」性能や「省エネ」性能を向上し、さらに太陽光発電システムなどで生活に必要なエネルギーを創出する等の「創エネ」により、年間の一次エネルギー消費量の収支ゼロを目指した住宅を指します。　※ローン控除では「創エネ」の設備は不問

住宅ローン金利はどうなる？

2022年度中は、大きな変動なし？

米国の金融政策やロシアによるウクライナ侵攻などを原因とした世界的な物価と金利の上昇を受け、2022（令和４）年春には日本でも長期金利がわずかに上がりました。これに伴い住宅ローン金利も、全期間固定金利型や固定金利選択型の融資金利が多少の上昇を見せています。

しかし、黒田日銀総裁は「連続指値オペ」という異例の対応をとることによって、長期金利の抑制姿勢をより明確に示しました。

日本だけが世界的な金利上昇の蚊帳の外、という状況に陥ったため、為替市場では約20年ぶりの円安水準（1ドル＝130円）が到来したにもかかわらず、日銀は円安の抑制ではなく金利上昇を抑える政策を続けています。

我が国の金利が上げられない理由は、GDPの2倍に上る膨大な国債残高にあるのでしょう。景気が回復する前に金利が上がってしまうと、国家財政が持たなくなることさえ懸念されます。マイナス金利政策も終了する気配はなく、短期金利も底這い状態が続いています。

従来の予想通り、金利状況が変わって住宅ローン金利も大きく変動するという状況は、2022年度中には起きないでしょう。

2023年度には変化の可能性も

しかし、2023（令和５）年度に目を向けると、状況が変わる可能性はゼロではないかもしれません。最も影響が大きいのは日銀総裁の交代です。

黒田総裁は2期10年の任期を 2023年４月８日に迎えます。常識的には新しい総裁が誕生することになるでしょう。岸田首相の意向に沿った人が就任するはずですが、仮に首相が「アベノミクス」からの脱却を望んでいる場合、新総裁が主導する日銀の金融政策も大きく舵を切る可能性があります。

筆者はこれまで、金利上昇は当分起こらないだろうから変動金利型を中心にした資金計画でよい、というスタンスをとってきました。しかし2023年度以降は五里霧中。安易な予測で行動するのは避けるべきと考えます。

変化が起きた場合の対応策を決めておき、長期の固定金利型やミックスプランにも注目したリスクの少ない資金計画をおすすめしておきます。

代表的な住宅ローン商品の金利水準と、長期金利の推移

※各種公表データから著者作成
※フラット35（全期間固定金利型ローン）＝各月の最低金利水準。融資事務手数料＝定率タイプの例
※変動金利型＝大手銀行の最優遇金利の例（主力商品の金利水準を表示）
※長期金利＝国債指標銘柄の利回り（各月の月末時点。前月分まで表示）

長期の固定金利型ローンの適用金利例

（2022年5月1日現在）

金融機関と商品タイプ	返済期間				実質金利への修正
	20年	25年	30年	35年	
フラット35（融資率9割以下）	1.35%	1.48%			(+0.15%)
JA兵庫西 ※姫路市など	0.90%				(+0.15%)
百十四銀行 ※香川県	0.92%				(+0.15%)
みずほ銀行（ネット住宅ローン）	1.27%	1.32%	1.36%	1.39%	(+0.15%)
りそな銀行（融資手数料型）	1.095%	1.095%	1.195%	1.195%	(+0.15%)
新生銀行 ※自己資金10%以上	1.25%	1.25%	1.35%	1.35%	(±0)

※新生銀行の「20年」は、固定金利選択型を掲載

住宅ローンのポイント3 2022年度

ローンの「申込み方式」が多様化

昨今の主役は「Web申込み」

提携ローンを除き、住宅ローンの審査に申し込む際には銀行等の窓口に手書きで記入した申込書を持参します。そして、融資の実行時には関係者が金融機関に集まり、引き渡し・登記手続きと資金決済を同時に行います。

一方、「ネット住宅ローン」の場合には、申込みから融資の実行まで、すべてWeb や郵便等を通して手続きが行われます。

パソコンなどで入力してクリックすればよいため、作成もラクですし、コロナ禍の昨今では来店や面談が避けられる安心感もあります。融資の実行前には金融機関が指定した司法書士と面談（依頼等）をしますが、自由な時間にWebなどを通して質問や手続きもできますので、メールでの写真や書類の送付に慣れている人にとってはありがたい限りでしょう。

……ということで、いわゆるネット銀行以外の実店舗を展開する金融機関でも、「ネット住宅ローン」の取扱いが広がってきました。

銀行等にとっても、コストや管理面の負担軽減、リスクの緩和など、メリットが大きいため、その分、融資金利を下げるなど利用者にも還元できます。

事前審査等の申込みはWeb 経由で受け付け、その後は通常の手順となるタイプ（「Web 申込み住宅ローン」など）を扱う金融機関も増えています。

「（融資）手数料型」の推進も拡大

民間ローンのもうひとつの潮流として注目されているのが、手数料定率型の「フラット35」のように、保証料を不要とする代わりに「融資額×2.2%」などの融資事務手数料をとる商品の導入です。

本書ではこのタイプを「（融資）手数料型」と表記します。

既存の「保証料型」と「手数料型」の両方とも取り扱うところと、後者だけにした金融機関（およびローン商品）に分かれますが、共通するのは、「手数料型」のほうが融資金利は若干低い、という点でしょう。

保証料とは違い、返済途中で繰上げ返済をしても融資手数料は返ってこない点などを勘案すると、金利水準が「手数料型＝保証料型−0.05%」程度であれば、この2つの商品に損得はあまりないと考えてよいでしょう。

● 申込みタイプ等の違いと金利設定例

	基準金利	住宅ローン（店頭）		ネット住宅ローン	
		保証料型	手数料型	保証料型	手数料型
変動金利型	2.475%	0.625%	0.575%	0.525%	0.375%
保証料型（店頭）との差		−	▲0.05%	▲0.10%	▲0.25%

※みずほ銀行の例（2022年5月現在。いずれも最優遇金利）。
※「保証料型」では外枠方式（一時金）等での保証料がかかるが、融資手数料は 33,000円。
※「手数料型」の取扱手数料は「融資額×2.2%＋33,000円」（保証料は147ページ参照）。

● タイプ別の返済額等の比較例

	保証料型（店頭）		手数料型	
	内枠方式	外枠方式	店頭申込み	ネットローン
融資金利	0.825% （＋0.2%）	0.625% （±0）	0.575% （▲0.05%）	0.375% （▲0.25%）
毎月返済額	156,832円	152,352円	151,245円	146,869円
年間返済額	188.2万円 （＋5.4万円）	182.8万円 （±0）	181.5万円 （▲1.3万円）	176.2万円 （▲6.6万円）
返済総額	5,646万円	5,485万円	5,445万円	5,287万円
保証料（例）	0万円	95.7万円	0万円	0万円
融資手数料（例）	5.5万円	5.5万円	110.0万円	110.0万円
諸費用小計	5.5万円	101.2万円	110.0万円	110.0万円
上記の総額	5,652万円 （＋66万円）	5,586万円 （±0）	5,555万円 （▲31万円）	5,397万円 （▲189万円）

＜前提条件＞ 借入金額＝5,000万円、返済期間＝30年（元利均等毎月返済）

→「保証料型（内枠方式）」の利用は、一般的に有利ではないと思われる（149ページ参照）。
→「保証料型（外枠方式）」と「手数料型（店頭）」は、この条件であれば後者のほうが有利。
ただし、返済期間等で保証料は変わる点や繰上げ返済の可能性なども勘案して決めたい。
①返済期間25年以下：あえて言えば「保証料型」（保証料が安くなり、損得はほぼないため）
②返済期間30年以上：「手数料型」が有利となる場合が多い
③10〜15年以内に繰上げ完済の予定がある場合：「保証料型」がおすすめ
→上記のような設定条件の「ネットローン」が利用できるなら選びたいが、融資金利の水準が「手数料型（店頭）」と同じ程度であれば、手続き等が不安なら店頭申込みでよいだろう。

夫婦で借りる場合の資金計画

「収入合算」と「ペアローン」

夫婦ともに収入があり、共有で住宅を取得してローンを借りる場合、
①夫が単独で申込み、妻が「収入合算者（連帯債務者）」となる
②夫が単独で申込み、妻は「収入合算者（連帯保証人）」になる
③夫婦が別々に借りて、お互いの連帯保証人となる（＝ペアローンの利用）
などの方法から、資金計画を考えることになるでしょう。

「フラット35」では上記①の方法となりますし、民間住宅ローンであれば、②か③のうちから選べる場合が多いというように、利用する金融機関や住宅ローンの種類によって選択肢は変わってきます。

住宅ローン控除や団体信用生命保険の取り扱いも、それぞれのパターンごとに異なります（右ページの図表参照）。

銀行など民間住宅ローンの「収入合算」では、金融機関（ローン商品）ごとに上記①と②のどちらの制度なのかが決まっていて、ローンの利用者が選ぶことはできません。連帯債務の場合は、収入合算者の団信の取り扱いや夫婦の保障割合についても金融機関ごとに対応が分かれます。

法律上は「連帯債務者」のほうがリスクは大きいのですが、住宅ローンの場合、他人の債務を連帯するわけではありませんので、この点を心配しすぎる必要はないでしょう。それよりも「連帯保証型」の住宅ローンでは、妻はローン控除が受けられず、団信にも加入できない点が問題です。

そのため、こちらのタイプの金融機関は、③の「夫婦ペアローン」の利用をすすめるはず。この方法なら、ローン控除も団信もクリアできます。

「ペアローン」は多様な選択肢も魅力

「ペアローン」のデメリットとしては、妻がパート勤めだったり年収が少ないケースでは、収入合算よりも利用が難しいという点が挙げられます。

Web経由で申し込む住宅ローンでは利用できない金融機関があったり、ローン契約が原則2本となるため、ローンの契約書に貼付する印紙税や登記費用などの負担が数万円ほど多くなる点にも留意が必要でしょう。

ただし、この「ローン契約が2本」という特徴は、資金計画の多様性といった

観点から見ると、非常に魅力的な可能性を含んでいます。

まず、夫婦のローンは別々のものなので、収入基準などがクリアできる範囲内でそれぞれ自由に返済期間を設定することができます。夫は長めに借りて、妻のローンは早く返すといった資金計画も可能となるわけです。

さらに、夫婦で異なる金利タイプが利用できるのも大きなメリットです。「夫が固定金利で、妻は変動金利」などのような資金計画にすれば、108ページで解説する「金利ミックスプラン」と同様の効果も出てきます。

上記の特徴を活かすには、長期固定金利型ローンなどの金利水準が低い金融機関で利用しましょう。

● 夫婦で住宅ローンを借りる場合のポイント

	ローンの契約	団信への加入		ローン控除		その他のポイント
連帯債務型	1本（夫のみ）	夫	○	夫	○	「フラット35」や一部の民間住宅ローンで利用可
		妻	△	妻	○	
連帯保証型	1本（夫のみ）	夫	○	夫	○	民間住宅ローンの多くはこちらのタイプ
		妻	×	妻	×	
夫婦ペアローン	2本（夫婦別）	夫	○	夫	○	民間住宅ローンで利用できる。夫婦で異なる返済期間等も選ぶことも可能
		妻	○	妻	○	

● ペアローンを利用した場合の資金計画例

	夫のローン	妻のローン	夫婦合計
借入金額	2,500万円	1,500万円	4,000万円
返済期間	30年	20年	―
融資金利（金利タイプ）	1.30%（固定金利型）	0.475%（変動金利型）	（平均0.991%）
毎月の返済額	67,120円	65,528円	132,648円
ボーナス加算額	100,904円	0円	100,904円
年間返済額	100.7万円	78.6万円	179.3万円

※夫のローンの借入金額は、毎月返済分＝2,000万円、ボーナス分＝500万円

資金計画のポイント1

無理のない物件価格の上限は？

住宅の取得で失敗しないための最大の秘訣は、「借入金額の設定」にあります。これを算出するベースとなるのが「現在の家計」です。安心できる住宅ローンの年間返済額等が把握できれば、いくらまで借りてよいかという観点での「借入可能額」もわかります。
次の「5つのステップ」にしたがって、計算してみましょう。

<ステップ1> …… 入居後の返済額の上限を見極める

「現在の家賃」などに、入居後にやりくりできる金額などをプラスして、ここから持ち家の場合にかかるコスト（保有税や管理費など）を差し引けば、入居後の「年間返済額の上限」が把握できます。
住宅ローン控除の予想額を加えてもよいでしょう。

<ステップ2> …… 「借入可能額」の目安を計算する

<巻末資料：1>(207ページ）の「年間返済額10万円あたりの借入可能額」をもとに、<ステップ1>で算出した返済額の上限であればローンがいくらまで借りられるかの目安となる「借入可能額」を計算します。

<ステップ3> …… 取得時に捻出できる金額を確認する

貯蓄から取り崩してもよい額や、親などからの資金援助を確認します。

<ステップ4> …… 取得時の諸費用を見積もる

住宅を取得する際には、登記関係の費用や各種税金、ローンの借入コストなどの「諸費用」もかかります。
本書の20～23ページなどを参考に見積もりましょう。

<ステップ5> …… 無理のない物件価格の上限を把握する

上記のステップが終了したら、右ページを参考に、物件選びのベースとなる「価格の上限」を把握しましょう。

ステップ1　年間返済額の上限は?

※家賃10万円、現在の年間貯蓄額を30万円減らしてよい場合は…

[例]

①	現在の家賃など	120万円
	やりくりが可能な額 *1	30万円
	住宅ローン控除 *2	35万円
	（小計）	185万円
②	管理費・修繕積立金 *3	24万円
	固定資産税などの保有税 *4	11万円
	（小計）	35万円

年間返済額の上限
①－②＝150万円

*1：年収の5%以内が無難
*2：認定住宅の最大控除額で表示（162～167ページを参照）
*3：マンションの場合にかかる（25ページを参照）
*4：固定資産税、および都市計画税（160～161ページを参照）

ステップ2　借入可能額の目安を計算する

※適用金利:1.5%（固定金利型）、返済期間:35年、の場合は…

●年間返済額10万円あたりの借入可能額早見表（抜粋）*6

適用金利	返済期間 25年	30年	35年
1.4%	211万円	245万円	277万円
1.5%	208万円	241万円	272万円
1.6%	206万円	238万円	268万円

借入可能額
4,080万円 *7

*6：詳細な早見表は<巻末資料1>を参照
*7：272万円×15（150万円÷10万円）

ステップ3～5　無理のない物件価格の上限

※自己資金や諸費用も加味して計算する

貯蓄からの捻出額＋親などからの贈与 ＋ 住宅ローンの借入可能額 － 取得時の諸費用 ＝ 物件価格の上限

例）1,000万円 ＋ 4,080万円 － 120万円 ≒ 4,960万円

資金計画のポイント 2

住宅ローンの種類と特徴

住宅ローンにはいろいろな種類があり、どれを利用するかで将来の家計などに大きな影響が出てきます。
まず、借入先による種別としては、「公的融資」と「民間融資」に加えて、証券化ローンである「フラット35」の3種類に分かれます。
一方、金利タイプに着目した場合、「固定金利型」と「変動金利型」の 2つに大別され、変動金利型の一種である「固定金利選択型」なども利用されています。

● 住宅ローンの種別（融資主体別）

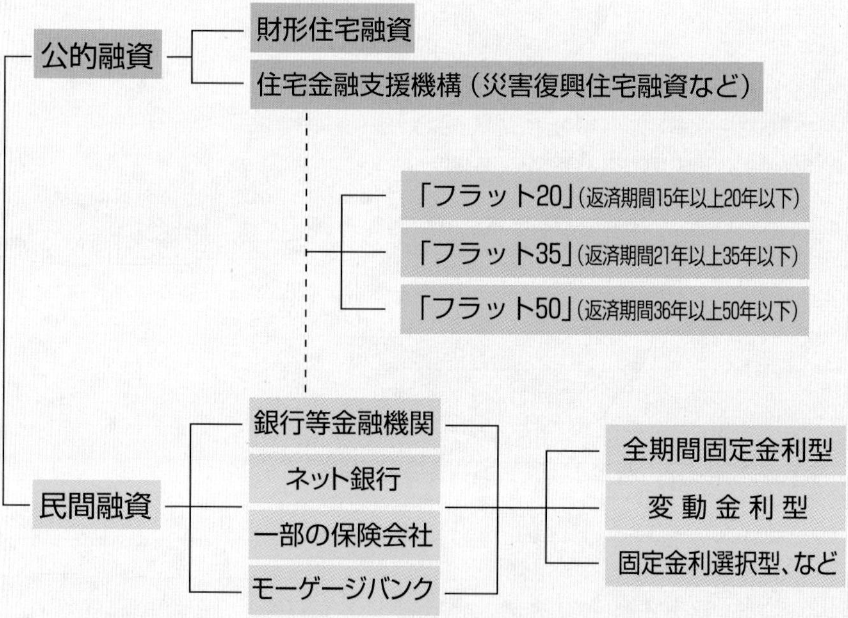

※「フラット35」等は、住宅金融支援機構と民間金融機関等によるコラボレーション・タイプの住宅ローン。ほぼすべての銀行と、労働金庫、信用金庫、信用組合、一部のＪＡや保険会社、モーゲージバンクなどが取り扱っている。

● 固定金利型の住宅ローン

名 称	おもなポイント	金利水準
フラット35 および フラット20	住宅金融支援機構が定める技術基準を満たした住宅で利用でき、ほとんどの金融機関が取り扱う。融資額は購入価額等の10割以内（最高8,000万円）。取扱機関や「融資率」によって金利水準は異なる。	フラット35 1.48%～ フラット20 1.35%～ ※ いずれも融資率9割以下の金利水準
フラット50	長期優良住宅が対象。金利水準はフラット35より高いが、返済期間が36年～50年と長い。融資限度額は購入価額等の9割以内。 フラット35と併用可。	1.98%～
民間住宅ローン （固定金利型）	一部の金融機関等が取り扱い、金利優遇などの条件によってはフラット35より有利な場合もある。「段階金利型」のタイプにも、非常に魅力的な商品が存在する。	1.0％前後～ ※ 返済期間21年以上

(注)「フラット 20」は、「フラット 35(返済期間 15 年以上 20 年以下)」の別称

● 変動金利グループの住宅ローン

名 称	おもなポイント	金利水準
民間住宅ローン （変動金利型）	適用金利が年2回見直されるタイプが一般的。将来的な金利変動リスクはあるが、1%未満の優遇金利も広く適用されている。	0.4%～1.3%が主流
民間住宅ローン （固定金利選択型）	変動金利型をベースとし、当初の一定期間（2～10年が一般的）は金利が固定されるタイプ。固定金利期間終了後は、変動金利に移るか、そのときの金利水準で再び一定期間の固定金利特約がつけられる。	「10年固定」の場合、0.9%～1.5%が中心
財形住宅融資	財形貯蓄を1年以上継続して、貯蓄残高が50万円以上ある場合に利用できる。金利、返済額ともに5年ごとに見直される。	1.25％ ※ 機構直接融資の場合

※金利水準等はいずれも2022年5月現在

資金計画のポイント 3

住宅ローンの返済方法

住宅ローンの返済方法には「元利均等返済」と「元金均等返済」の２種類がありますが、毎回同じ額を返す「元利均等返済」を選ぶ人がほとんどです。「毎月払い」に加え、６カ月ごとに増額して返す「ボーナス併用払い」を選択することもできます。
返済期間を長くすれば毎回の返済額は少なくなりますが、トータルの返済総額が増える点などには留意が必要です。

● 毎月払い

約定返済日は、10日、25日、31日（月末）など、金融機関が指定した複数の日から選べるのが一般的。給料の支払日などを念頭に決めましょう。
返済額は指定した預金口座から自動的に引き落とされます。
給与の振込口座と同じにしておくのが安心でしょう。

● ボーナス払い

年に2回、半年払いで返す方法です。6月と12月、7月と1月などの組み合わせから返済する月を選びます。
年2回しか払わないため、毎月払いよりも利息の負担はやや多くなります。毎月払いとの併用で利用できますが、金融機関やローン商品ごとに、下記のような借入割合等の制限が設けられています。

住宅ローンの種類	ボーナス払い分の借入上限	借入単位
フラット35	借入金額の４割以内	１万円単位
財形住宅融資（機構直接融資）	〃　４割以内	50万円単位
民間住宅ローン	〃　５割以内	金融機関で異なる

<参考> 借入金額 100万円あたり返済額の目安

金利	毎月返済			ボーナス払い		
返済期間	25年	30年	35年	25年	30年	35年
1.20％	3,859円	3,309円	2,917円	23,209円	19,895円	17,537円

毎月払いとボーナス払いの割合を決める手順

(1) すべて毎月払いで借りる前提で、年間返済額を計算する
(例)借入金額：4,000万円、金利：1.2%、返済期間：30年
→3,309円×40 (4,000万円÷100万円)×12カ月≒158.8万円
(2) ボーナスから返済に回してよい金額を想定して決める
(例)15万円／回 → 年間 30万円
(3)「上記(2)÷(1)」から、ボーナス払い分の割合を出す
30万円 ÷ 158.8万円＝18.9% → 約19%
(4) 毎月返済分とボーナス払い分の借入金額を計算する
ボーナス払い分：4,000万円 ×19%＝760万円
毎月返済分：4,000万円−760万円＝3,240万円
(5) それぞれの返済額(目安)を計算する
①ボーナス払い分
→ 19,895円×7.6 (760万円÷100万円) ≒151,202円／回
②毎月返済分
→ 3,309円×32.4 (3,240万円÷100万円) ≒107,211円／月
※ボーナス払い月の返済額＝258,413円 (①＋②)
※年間返済額＝約158.9万円 (①×2回＋②×12カ月)

返済期間の違いによる元利均等返済のイメージ ※借入金額1,000万円

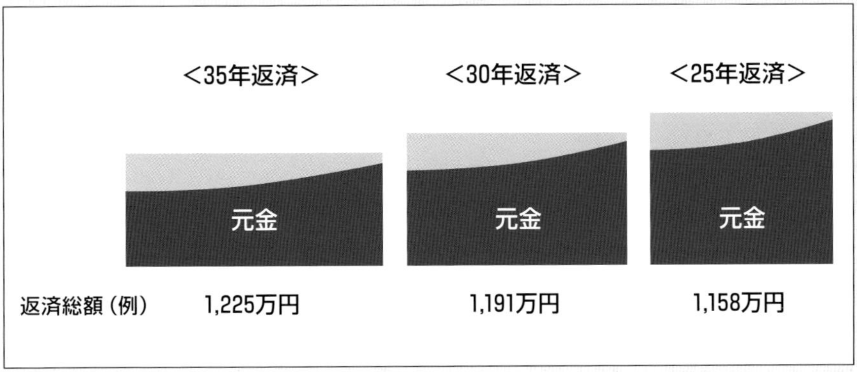

資金計画のポイント 4

自己資金と返済計画の目安

マイホームの購入や新築のためには、自己資金はどのくらい必要となるのでしょうか。具体的に支払わなければならない項目としては、次の3つがあります。

●頭金

購入価格と住宅ローンの借入金額との差額は、自分で準備しなければなりません。この金額を「頭金」といいます。ローンによっては10割融資が可能な（＝頭金がいらない）場合もありますが、その分、返済額が増えますので、理想としては物件価格の2割程度を準備したいところです。親からの援助が期待できる場合は、贈与税の特例を利用しましょう。

頭　金

↓

購入価格や建築費の0〜20%以上

●諸費用

取得時の諸費用には、本文20〜21ページのようなものがあります。その目安は、新築住宅で価格等の2〜5%、中古住宅等で同じく5〜8%程度です。

諸費用

↓

価格等の2〜5%（新築）

●引っ越し代など

頭金、諸費用のほかに、引っ越し代やカーテン、照明器具などの購入費も必ずといっていいほどかかります。

その他

↓

引っ越し代、照明器具などの購入費

↓

購入価格や建設費の　25〜30%　＝理想的な自己資金

頭金や諸費用、引っ越し代などを合計すると、この程度の資金があれば、まず理想的でしょう。自己資金が多ければ、それだけ住宅ローンも少なくてすみますし、無理のない資金計画を立てることもできます。

はじめに

2022（令和４）年の取得分から、住宅ローン控除が改正されました。控除対象となる年末時点のローン残高（限度額）は、住宅の環境性能等に応じて決まります。新築等の控除期間は原則13年へと延長されましたが、控除率が0.7%に引き下げられたこともあり、減税効果はおおむね縮小となってしまいました。

今回の改正は住宅の「質の向上」に大きく貢献するでしょう。一方で、新型コロナ禍やロシアによるウクライナ侵攻などで拍車がかかった建築資材の高騰や物価高を勘案すると、建築代金の価格上昇は当分収まらないのではという懸念も出てきます。

さらに、住宅ローンについては世界的な金利や物価等の上昇が日本に及ぼす影響が注目されています。2023（令和５）年４月には黒田日銀総裁が任期を迎えますので、マイナス金利等の継続など金融政策にどのような変化があるのか（あるいはないのか）といった点からも目が離せません。

長く続いた金利低下と超低金利による恩恵を受け、21世紀以降の住宅ローンは、はっきり言うとどう組んでも問題ない時代であったと言えます。しかし、そろそろ状況が変わる可能性も視野に入れたうえで、資金計画を考える必要があるでしょう。

「Web申込み」や「電子契約」の推進が広がるなか、どの金融機関や金利タイプがよいのか、またどういう資金計画が好ましいかなどについては、数字を比べて判断するしかありません。

安易な資金計画に走らず、皆さまご自身と大切な人のためにも有為な情報を集めて、真剣に悩んでみてください。

本書を、皆さまの安心できるマイホーム取得にお役立ていただけますよう、心から願っております。

筆　者

CONTENTS

SECTION 2
住宅ローンの基礎知識

SECTION 3
フラット35を利用する

SECTION 4

民間住宅ローンを利用する

SECTION 5
財形住宅融資を利用する

SECTION 6

住宅取得時の必須知識

SECTION 7
事例で考える実践的住宅ローンの組み方

SECTION 8

住宅ローンの見直し方法

巻末資料

おことわり

1．本書は2022（令和４）年５月時点の情報、データに基づいており、その後、金利等の融資条件は変更されることがあります。
2．資金計画表におけるローン返済額、諸費用などは概算額です。日割り計算などにより、金融機関の計算額とは多少異なることがあります。
3．執筆にあたっては、次のＨＰからデータを引用しています。
・住宅金融支援機構　・フラット35　・掲載した金融機関等
・日本損害保険協会　・文部科学省
・法務局（東京、名古屋、大阪）

口絵イラスト／高橋幸雄
本文イラスト／くぼゆきお
口絵・本文レイアウト／株式会社エトワス
図版作製／杉本　徹
本文デザイン／風間正江

SECTION

1

資金計画のプレ知識

SECTION 1

1 ローンを申込む前の確認事項

住宅ローンを借りるためには、審査に通る必要があります。審査は「事前審査（仮審査）」と、「本審査（正式審査）」の2回行われ、後者が住宅ローンの正式な申込みとなります。申込みにあたっては、審査で承認されやすい環境をつくっておきましょう。

審査の際には、個人信用情報が見られる

住宅ローンを借りたい場合は、まず金融機関の店舗やWeb（パソコン等）、携帯アプリを通して「事前審査」の申込みを行います。その際には「個人情報の利用に関する同意書」等に署名・押印して提出（または、クリック）することが必要です。これを受けて、金融機関（もしくは保証会社）は住宅ローンを申し込んだ人に関する、一定の個人情報をチェックします。

銀行の場合、全国銀行個人信用情報センターが右表のような個人信用情報を管理しており、審査の際にはこれらの情報が照会されます。一般的な個人信用情報では、「取引情報」がとくに重要で、現在借りている各種融資やクレジットカード等の契約内容、返済状況などがここで確認できます。

また、「照会記録情報」は金融機関が個人情報にアクセスした記録です。直近で照会した記録が登録されている場合は、他の金融機関でも住宅ローンを申し込んだことがわかるため、審査を急いでくれるでしょう。一方、借り換えにあたり以前の照会記録情報があると、そこでは承認されなかった可能性があると判断され、審査は慎重になるかもしれません。

他のローンやカードの与信枠は整理しておきたい

個人信用情報機関には、他にも信販・クレジットカード系の「ＣＩＣ」や、消費者金融系の「日本信用情報機構（ＪＩＣＣ）」があり、情報の相互共有を行っています。延滞情報があると住宅ローンの借入れは難しくなりますので、気になる方はご自身の登録情報の開示を請求してみましょう。

年収などの状況によっては、自動車ローンなどを事前に一括返済したり、カードのキャッシング与信枠を減らす（場合によっては使用していないカードを解約する）などの対応をとっておくほうが無難かもしれません。

Web等による申込みのメリットと留意点

昨今ではWebや携帯アプリで事前審査に申し込める場合がほとんどです。申込みから融資の実行まで一度も店舗等に行かずに済む「ネットローン」だけでなく、金融機関によっては既存の住宅ローン（＝本審査は店頭等で書面で行う）でも、審査がWeb等で申し込めます。

申込書の記入欄はかなり多いため手書きでの記入は手間がかかるのに対し、パソコン等での入力は馴れた人にとってはラクに感じるでしょう（提携ローンを中心に、物件の仲介等を行う不動産業者には氏名等の自署が必要な箇所以外は代筆してくれるところもありますが……）。本審査に申込む際にもこのデータが反映され、書類への記入は不要となります。

ただし、ローン商品や取得する物件等の種類などによっては、Web等での申込みができないケースもありますので、ＨＰなどに掲載されている申込み手順に関する説明文等を事前に確認しておくことが大切です。

金融機関ごとに異なりますが、①ペアローンでの申込み、②金利ミックスプランでの申込み、③収入合算を行うなどの理由により保証会社に対する連帯保証人が必要となるケース、④土地を先行取得して建物の請負契約を結ぶケース、などが該当するようです。

かなり入力してから気づいた場合、結構ショックは大きいはずですので、申込み手順等の説明文は面倒くさがらずに必ず確認しておきましょう。

●全国銀行個人信用情報センターのおもな登録情報と登録期間

情報の種類	内容	登録期間
取引情報	ローン、クレジットカード、保証等の契約内容や返済状況	契約期間中、および完了区分発生日から５年を超えない間
不渡情報	当座取引の手形・小切手の不渡に関する情報	１回目不渡発生日から６カ月（取引停止処分は処分日から５年）を超えない期間
官報情報	官報によって一般に公開された破産・民事再生手続の情報	破産等の手続き開始決定日から、10年を超えない期間
本人申告情報	本人確認資料の紛失・盗難、同姓同名の別人が登録されている旨の本人からの申立など	申告日から５年を超えない期間
照会記録情報	会員（金融機関等）から照会があったことを記録した情報	照会日から１年を超えない期間。ただし、会員への回答は６カ月を超えない期間

2 「ローン条項」を理解する

マイホームの取得を考えている場合、具体的な物件を決める前に、利用したい住宅ローンの目星をつけておくのが理想です。契約後は「ローン条項」の適用などにより、検討する時間が限られてしまい、納得できる資金計画で取得できるとは限らないからです。

「ローン条項」って、なに？

住宅の購入等を契約した後で、ローンの診査に通らず融資が受けられなかった場合、売主・買主の双方にとって面倒なことになってしまいます。

このようなリスクに備えて、マイホームを取得する際には、売買契約書や請負契約書に「ローン条項」（＝ローン利用特約等）をつける（ついている）のが一般的です。これは、定められた期限内に住宅ローンの融資承認が下りなかった場合は契約が解除され、手付金が戻るという特約です。

基本的には、「○○銀行の△△支店」、「□□銀行の☆☆ローンセンター」といったように、１つ、ないし複数の住宅ローンを申し込む金融機関などが、売買契約書等に明示されています（万一、あいまいな表現となっている場合は注意が必要です）。指定されている金融機関は、不動産会社のメーンバンクや、提携ローン契約を結んでいるところが通常でしょう。

ローン条項に関する留意点

本来、ローン条項は購入予定者を守るための制度です。しかし、どんなに不利な融資条件でも、審査に通ればこれを借りて購入するか、手付金を放棄して契約を解除するしかないという側面も持っています。住宅ローンの具体的な金利タイプなどもローン条項で指定できれば安心ですが、通常は契約の際に書類が作成されていて、ローンの申込先などが書かれています。事前の交渉で指定できるかは状況次第と申し上げるしかありません。

何より、ローン条項の適用による契約解除の期限まで、時間は限られています。物件の種別や、売り主（あるいは仲介する不動産業者）の意向などによっても異なりますが、一般的には10日～１カ月程度でしょう。

事情があって期日に間に合わない場合などでは、売主・買主の合意により、覚書などを取り交わすことで、期日を延長することも可能です。

一方、有利な住宅ローンが借りられないとわかり、ローンの申込みを怠った場合などでは、契約が解除されて手付金が返ってこない危険があります。

住宅ローンを借りる際に「提携ローン」の利用が多いのは、審査の基準が通常より緩やかなケースも多いことに加え、不動産業者が手続きを代行するため、審査がスムーズに進むという点も影響しているでしょう。

ネットローンなどを中心に、融資の実行まで最長1カ月半～2カ月近くもかかる場合などでは、事前審査には通ったが引き渡し（＋資金決済）に間に合わないといったことのないよう、今後のスケジュールをあらかじめ確認し、対応策をとっておく必要があります。事前審査の申込みが簡易すぎるケースなどでは、最悪の場合、本審査で不承認となることもあり得ます。

いずれにしても、売買契約書を取り交わしてから、どの金融機関で借りるかを慌てて考えるのは避けるべきだと心得てください。

●「不動産売買契約書」の一例（抜粋）

不動産売買契約書（ローン付）

<table>
<tr><td colspan="3">（第１条）売買代金総額＜Ａ＞</td><td colspan="3">金 50,000,000円</td></tr>
<tr><td rowspan="3">内訳</td><td colspan="2">土地代金</td><td colspan="3">金 17,000,000円</td></tr>
<tr><td colspan="2">建物代金</td><td colspan="3">金 33,000,000円</td></tr>
<tr><td colspan="2">（うち、消費税及び地方消費税額の合計額）</td><td colspan="3">金 3,000,000円</td></tr>
<tr><td colspan="2">（第２条）手付金＜Ｂ＞</td><td>契約締結時支払い</td><td colspan="3">金 5,000,000円</td></tr>
<tr><td colspan="2" rowspan="2">（第２条）中間金＜Ｃ＞</td><td>第１回 令和－－年－月－日</td><td colspan="3">金 0円</td></tr>
<tr><td>第２回 令和－－年－月－日</td><td colspan="3">金 0円</td></tr>
<tr><td colspan="2">（第２条）残　金＜Ｄ＞</td><td>第１回 令和○○年○月○日</td><td colspan="3">金 45,000,000円</td></tr>
<tr><td colspan="6">（第３条）本物件引渡日＜Ｅ＞　第１回 令和○○年○月○日</td></tr>
<tr><td rowspan="5">融資に関する事項 第17条</td><td>ローン申込金融機関＜Ｆ＞</td><td>ローン申込額＜Ｇ＞</td><td>利率</td><td>期間</td><td>返済方法</td></tr>
<tr><td>○○銀行△△ローンプラザ</td><td>金45,000,000円也</td><td>2.475%</td><td>35年</td><td>元利均等</td></tr>
<tr><td>□□銀行☆☆支店</td><td>金45,000,000円也</td><td>2.475%</td><td>35年</td><td>元利均等</td></tr>
<tr><td colspan="5">ローン利用特例の期日＜Ｈ＞ 令和○○年○月○日</td></tr>
<tr><td>備考</td><td colspan="4">・利率については重要事項説明時点のものであり、金融情勢等により融資実行までに変更されることがあります。</td></tr>
</table>

（注）契約書の書式等は不動産業者によって異なります。

3 住宅ローンの借入限度額

扉のカラーページで、「借入可能額（目安）」の計算方法を解説しましたが、希望額が借りられるかは、「返済負担率」などの水準と、金融機関やローン商品ごとに設定されている融資限度額、および物件価額等に対する借入金額の割合などでも違ってきます。

金融機関やローンごとの限度額

住宅ローンの借入金額には、いくつかの観点から上限が設けられています。1つめは、購入価格や建築代金に対する「借入金額の割合」です。

かつては8割以内が一般的でしたが、現在では、一部の金融機関や商品を除いて10割以内がほとんどです。保証料や登記関係の費用など、取得時にかかる「諸費用」まで含めて貸し出すところも珍しくありません。審査の結果次第では、「自己資金ゼロ」でマイホームが取得できるということです。

とはいえ、「フラット35」では借入金額の割合（＝融資率）が9割を超えてしまうと全体の金額に対する融資金利が高くなりますので、借入れは9割以内に抑えたいところです。また、民間住宅ローンでも自己資金が少ないと審査での評価が低くなります。大手銀行を中心に融資率が9割程度を超える場合は融資金利や保証料が高くなる金融機関もあります。「借りられる」のと「借りてもよいか」は、別の話だと理解しておきましょう。

2つめは、住宅ローンとして貸し出す金額自体の上限である「融資限度額」です。たとえば購入を希望する住宅が6,000万円で融資率が10割だったとしても、融資限度額自体が5,000万円であれば、希望額をすべて借りることはできません。昨今では、地方銀行などでも1億円まで貸し出すところが多くなっていますが、地域や商品によっては3,000～5,000万円以内などの設定もあるため、確認しておく必要があります。

民間住宅ローンの借入限度額は返済能力次第

次に、審査における重要な判断基準の1つである「返済能力」との関係を確認してみましょう。住宅ローンを借りる際に、「年間の返済額が税込み年収の35％以内」といったような明確な「収入基準」が設けられている場合は、これをクリアしなければ希望額が借りられません。

この収入基準は、住宅ローンの種類や、借入先の金融機関などで異なり、フラット35や財形住宅融資では、原則として公表された基準（すべての借入金額に対する年間返済額が、年収の35%以内など）から判断されます。この基準を満たしていて、クレジットカードなどの延滞歴等がなければ、借入限度額の範囲内で希望額を借りることも可能でしょう。

一方、民間住宅ローンは、「年収の○%以内」といった明確な基準を設けているところと、返済負担率を中心に、職業や勤務先、勤続（営業）年数、頭金の割合などから総合的に判断するところに分かれます。

また、変動金利型などの場合は、ローンの返済負担率を判断する際に、現在の金利ではなく、たとえば３%や４%などの「審査金利」を使って計算する金融機関も多くあります。現在の金利水準が将来的に続く保証はないため、このほうが融資のリスクは少ないからです。

以上のように、実際の借入限度額は、利用者の「返済能力」次第だということを理解しておきましょう。

なお、民間住宅ローンでは「年収の６～８倍程度」などの基準を設けて、融資上限の目安にしているところもあります。ローン金利の低下によって、返済額が同じ場合の借入可能額は増えていますが、これは金融機関（または保証会社）から見ると、返済が不能となった場合の貸し倒れが増えることを意味します。したがって、この「年収倍率」が高いと、融資が受けられなかったり、自己資金の追加や、保証料または金利が高くなることもあります。

以前と比べて審査の基準が厳しくなっているローンや金融機関があるという点にも留意が必要でしょう。

●商品ごとの融資率と融資限度額の違い　（2022年５月現在）

住宅ローンの種類や組み合わせ	融資率（物件価額等に対する借入金額の割合）	融資限度額
民間住宅ローン	８～10割以内	3,000万円～１億円
フラット35（買取型）	10割以内	8,000万円
財形住宅融資	９割以内	4,000万円*1
フラット35＋財形住宅融資	合計で10割以内	1.2億円*2
フラット35＋民間住宅ローン	合計で10割以内	8,000万円～*2
フラット35（リノベ）	「購入価額＋リフォーム工事費」の10割以内	8,000万円

＊1：財形貯蓄残高の10倍まで
＊2：それぞれの融資限度額の合計額が上限

4 自己資金と諸費用の確認

現在では、必要な資金のほぼすべてを住宅ローンで借りることもできますが、審査や将来の家計を考えると、自己資金は多いほうが安心です。物件やローンの種類によっては取得時の諸費用がかなり違ってきますので、こちらも確認しておきましょう。

必要な自己資金は、「頭金」＋「諸費用」

マイホームを取得する際には、住宅ローンで借りられる金額以外は自分で準備しなければなりません。これが「自己資金」です。

自己資金として必要な額は、「購入価格－住宅ローンの借入金額」から計算される「頭金」と、「諸費用」などから把握できます（右ページ参照）。

自己資金が少ないと住宅ローンの借入金額が多くなり、返済額も増えてしまいます。審査も厳しくなりますし、金融機関によっては適用金利や保証料の条件が不利になる場合もあります。

したがって、住宅ローンの借入れを物件価額等の８割までに抑える、すなわち、２割以上の頭金を準備する、というのが理想と言えるでしょう。

ただし、手持ち資金をすべて使ってしまうのは危険です。

いざというときの臨時費用や、将来的に必要となる教育資金なども考えて、最低限は手元に残しておくことが大切です。

利用するローンなどで、諸費用は大きく異なる

住宅を取得する際に必要となる諸費用は、取得自体にかかる費用と、住宅ローンの借入れにかかる費用に大別されます。

おもなものを右ページでまとめておきましたので、該当するページも含めて確認しておきましょう。

このうち、住宅ローン関連の費用は金融機関やローン商品で異なります。とくに、融資事務手数料のタイプや保証料の有無（および水準）によって、諸費用の額は大きく変わります。

ローン関係の諸費用だけをみても借入金額の１～４％程度になるということを理解しておきましょう。

●土地、建物の取得にかかる費用

印紙税	売買契約書や建築請負契約書を作成するときに収入印紙を貼付して納付する。契約金額等で税額は変わる。　p.158
不動産取得税	不動産を取得する際に課税される地方税。敷地や床面積が広くなければ非課税となることが多い。　p.159
仲介手数料※	売主が負担するケースを除き、仲介物件では「取引価格の３％＋６万円（＋消費税)」を上限にかかる。
登録免許税	所有権の保存、移転などの登記を行う際にかかる。税率は、土地・建物で異なる。　p.158
司法書士報酬※	物件の課税標準（固定資産税評価額等）や、依頼した司法書士で異なるが、代行手数料＋契約立会いの日当・交通費＋謄本等の取得費用などで７万円前後は見ておきたい。

・**修繕積立一時金**…新築マンションの場合、将来の大規模修繕に備えるために、数十万円（目安は物件価額の１％程度）を納める。

・**上下水道等負担金**…戸建てでは、新規に上下水道を引き込むための負担金が必要となる場合もある（数万円～数十万円程度)。

・**その他精算金**……固定資産税などを、前の所有者と日割りで折半する。

●住宅ローンの借入れにかかる費用

印紙税	住宅ローン（金銭消費貸借）の契約書を作成する際に課税される。借入金額によって税額が決まる。　p.158
登録免許税	ローンを組む場合は、自宅を担保として提供するが、その抵当権の設定登記を行う際にも税金がかかる。　p.158
司法書士報酬※	抵当権の設定登記を依頼したときにかかる。ローンの契約が１件の場合、設定自体は５～７万円程度が目安。
保証料	指定された保証会社から保証を受ける際にかかる費用。数十万円を一括して支払うタイプと、ローン金利に上乗せするタイプに分かれるが、無料のところもある。　p.147
融資事務手数料※	住宅ローンの種類や金融機関等で大きく異なる。保証料がかかる場合は３～５万円（＋消費税)、不要なローン商品では「融資額×2.2%」が一般的。
火災保険料 地震保険料	住宅ローンの借入時には、火災保険への加入が義務づけられる。保険料は地域や住宅の構造、保険会社等で異なり、最長10年分を一括で支払う場合は10～40万円程度が目安。地震保険は義務ではないが、加入するほうが安心。　p.168

（注）表中の「※」印の費用には消費税が加算される

〈参考〉2022（令和４）年10月以降、火災保険の契約期間は最長５年となる予定。

SECTION 1

5 諸費用は総額でいくら？

前項で解説した住宅の取得時にかかる諸費用は、購入価額に対して３％前後（仲介手数料がかかる場合は合わせて６％程度）が目安となるでしょう。引越し代や家具の購入費なども加味すると、購入価額の５％～10％程度は準備しておきたいところです。

建売住宅を購入する場合の例

民間住宅ローンを利用して建売住宅を購入するケースを例に、どの程度の諸費用がかかるのか、下記の条件をもとに概算額をまとめてみました。

あくまでも目安の金額ですが、参考としてイメージしてみてください。

●購入・借入条件

物件／建物：木造２階建（120㎡）、土地：敷地面積165㎡

価格（消費税込み）／4,000万円（建物：2,750万円、土地：1,250万円）

固定資産税評価額等／建物1,000万円、土地900万円

借入金額／3,500万円（30年返済）

●取得時にかかる費用（例）		
印紙税	1万円	購入（請負）価格で異なる
登録免許税	15万円	※建物の保存登記と、土地の移転登記
不動産取得税	0円	本ケースでは軽減措置で実質非課税
登記手数料	7万円	司法書士や、物件などで異なる
小計	約23万円	

※仲介手数料がかからないケースの例

●住宅ローンの借入れにかかる費用（例）

	民間ローン	フラット35	備考
印紙税	2万円	2万円	借入金額で変わる
登録免許税	3.5万円	3.5万円	抵当権設定分の税額
登記手数料	6万円	6万円	抵当権設定分の目安
融資事務手数料	3.3万円	3.3万円〜77万円※1	※1「融資額×2.2%」の場合
ローン保証料	0〜67万円※2	0万円	※2 外枠方式の場合の例（注）
火災保険料	10万円〜40万円※4	10万円〜40万円※4	※4 10年分、一括払いの目安。物件や補償内容で異なる
小計①	約25万円〜55万円	約25万円〜55万円	民間＝保証料内枠方式、フラット35＝事務手数料3.3万円の例
小計②	約92万円〜122万円	約99万円〜129万円	民間＝保証料外枠方式、フラット35＝手数料定率タイプの例

（注）保証料は金融機関（保証会社）や審査結果、返済期間等で異なる

以上合計	約48万円〜145万円	約48万円〜152万円	物件価額等の1〜4%前後（一般的には3%前後）

●引越し費用など（例）

引越し代	20万円	運送会社や時期などで異なる
ゴミ処分費	3万円	粗大ゴミの処分費の例
その他	2万円	電話工事費、引越しの挨拶状など
小計	25万円	※目安の金額

●その他の諸費用（例）

購入＆取付費用	20〜100万円	エアコン、カーテン、照明器具など
家具・家電	0〜100万円	ソファー、ダイニングセット、冷蔵庫など、購入品により大きく異なる
小計	20〜200万円	状況によって大幅に異なる

※上記の金額はあくまでも一例ですので、目安としてお考えください。

◆主要な項目については、〈SECTION 6〉で詳しく解説してあります。

SECTION 1

6 取得後の家計を確認しよう

住宅ローンの借入金額が、扉のカラーページ（P.10）の方法から算出した「借入可能額」の範囲内であれば、無理のない資金計画である可能性は高いはずです。ただし、取得後の家計をイメージし、本当にこれで大丈夫かを確認することも大切です。

25%の返済負担率は安心とは限らない

右ページの図表は、扉の10ページを念頭に住宅取得後の住居費をまとめたものです。住宅ローンの返済額は想定した年間返済額の上限（144万円）よりもやや多い程度には収まっています。ここでは、夫の年収が600万円で、妻は専業主婦、小学生の子どもが2人いる、という前提で話を進めます。

まず、年収に対するローンの返済負担率は24.5%（147万円÷600万円）です。一般的には「年収の25%以内なら安心」だと言われることも多く、その見方からすれば、問題のない水準と判断されるでしょう。

ただし、年収から所得税や住民税、社会保険料を差し引いた手取り収入は、年収のおおむね75～80%程度に低下します。このケースでは470万円前後なので、手取りに対する返済負担率は31%強（147万円÷470万円）の水準です。とはいえ、住宅の取得後は「住宅ローン控除」という減税も受けられますし、中学生以下の子どもがいれば「児童手当」も支給されます。

今回の前提（年収600万円等）では、納税状況から想定したローン控除の上限額は約26万円（所得税16.5万円、住民税9.75万円）です。ただし、「新築の一般住宅」や「中古」を取得する場合は、年末残高の上限から算出される限度額（21万円、または14万円）までしか減税は受けられません。

一方、児童手当は、1人につき原則1万円／月（3歳以上中学卒業まで）ですので、子どもが2人だと年額24万円です。これらも加味した取得直後の可処分所得は約520万円になるでしょう（470万円＋26万円＋24万円）。

この最大限で見積もった可処分所得に対し、住居費の合計額の負担割合は35%弱（181万円÷520万円）の水準。また、金額ベースで確認すると住居費を除いた「使えるお金」は残り339万円（520万円－181万円）です。

これで取得後の家計は大丈夫か、をイメージしてみましょう。

マンションでは、管理費などの負担に注意

下図で示したように、マイホーム取得後の「住居費」は、住宅ローンの返済額だけではありません。固定資産税などの「保有税」に加え、マンションの場合は「管理費」や「修繕積立金」というコストも発生します。

物件価額の高い地域や設備が充実しているマンションでは、下図で示した以上の管理費が設定されていますし、中古物件などでは修繕積立金だけでも月額15,000円を超える場合も見られます。保有税も含めたコストが年間40～50万円というケースも珍しくないため、しっかり把握しておくべきです。

「住宅ローンの年間返済額÷年収」から計算される返済負担率というのは、ローンの審査における判断材料の１つに過ぎません。資金計画を立てる際には、この数字を鵜呑みにするのではなく、前述のコストを含めた「住居費」を算出し、取得後の家計を想像することが大切です。

●取得後の住居費の例（新築マンション、借入金額4,000万円）

住居費の項目と金額の例			年間合計
ローン返済額		・毎月返済分：97,979円 ・ボーナス加算分：147,317円	147万円
その他	管理費	・12,500円／月	15万円
	修繕積立金	・7,500円／月	9万円
	保有税	・固定資産税：年間８万円 ※６年目に増える ・都市計画税：年間２万円	10万円
		その他小計	34万円
住居費の合計額			181万円

※借入金額の内訳は、毎月返済分＝3,200万円、ボーナス加算分＝800万円
※住宅ローンの返済額は、融資金利1.50％（全期間固定金利型）、返済期間35年で算出
※管理費、修繕積立金、保有税は、本例における標準的な金額として想定した

→　年収が600万円の場合、住宅ローンの返済負担率は24.5％
→　しかし、手取り収入（約470万円）に対する負担率は31％強である

→　住宅ローン控除と児童手当を加味した可処分所得は約520万円
→　これに対する住居費の合計額の割合は35％弱
→　住居費を除いた、「使えるお金」は残り339万円（月額約28万円）

※年収が少ないほど、管理費等の負担も家計を圧迫する

7 資金計画上の6つのチェックポイント

本来は、さらに長期的な家計を想定したうえでマイホームを取得したいところですが、最低限、ここで解説する６つのチェック項目は確認しておきましょう。見落としがちなのが「年収倍率」で、これが高いほど危険な資金計画になってしまいます。

3つ以上該当するとイエローカード

まずは、下に示した「６つのチェック項目」をご覧ください。該当するものがなければ、問題のない資金計画と言えそうです。しかし、３つ以上該当する場合は、物件価額を引き下げることも視野に入れるべきでしょう。

また、2020（令和２）年の春から猛威を振るった「新型コロナウイルス」は、経済活動等の停止に伴う大幅な収入の減少という新たなリスクをもたらしました。飲食業を中心とした対面・接触型の仕事などに従事している人を中心に、突然、収入が大幅に減ってしまう可能性も視野に入れて、資金計画を立てなければならなくなったということです。

中小法人の経営者や個人事業主、契約社員などの方は、住宅ローンの審査が従来以上に厳しくなることも覚悟しておく必要があるでしょう。

これからの住宅取得における資金計画では、取得後の家計にさらに余裕を持たせ、十分な手持ち資金も確保しておくことが求められます。

●資金計画上の６つのチェック項目

① 年収が500万円以下で、返済負担率が年収の25%を超えている
② 住宅ローンの借入金額が、年収の７倍を超えている
③ ローン完済時の年齢が65歳を超える
④ ボーナス時の返済額が、手取りボーナスの半分程度を占める
⑤ 変動金利型など※のローンを30年以上の返済期間で利用する
⑥ 取得後は、手持ちの金融資産がほぼ底をついてしまう

※期間５年以下の固定金利選択型ローンも含む

チェック項目のポイントは？

6つのチェック項目のうち、とくに重要な箇所については別項でふれていますが、下表でそれぞれのポイントを確認しておきましょう。

関連性が高いのが、②の「年収倍率」と③の「返済期間」の関連性、および、⑤の「変動金利型ローン」の利用です。

金利水準が低い昨今では、借入金額100万円あたりの返済額は以前よりも減っています。そのため、金融機関や地域によっては年収に対して7～8倍以上の住宅ローンを借りることも不可能ではありません。

しかし、この「年収倍率」が高いほど借入金額も多くなり、イ）返済期間を長くする、ロ）金利水準が最も低いため当面の負担が軽くなる変動金利型ローンを利用する、といった傾向が強くなります。

たとえば、年収700万円（40歳）の人が5,000万円のローンを借りた場合の年収倍率は7倍強。仮に返済期間が35年だと、60歳時点（20年後）のローン残高は半分ほど残っていますので、退職金が支給されてもほぼ底をつくでしょう。60歳以降は給与が大幅に減っている可能性もありますし、公的年金から返済するのはまず無理です。さらに、変動金利型で借りると、将来金利が上がった場合の返済額が増えるとともに、ローン残高も当初の予定より多くなってしまいます。つまり、危険な資金計画であるほどリスクが連鎖して、いっそう危なくなってしまうということです。

このような状況に陥らないためにも、チェック項目を確認し、無理のない資金計画でマイホームを取得してください。

●チェック項目のポイントと、本書の参照ページ

項目	理解しておきたいポイント	参照ページ
①	年収が少ないケースほど、「返済負担率」で判断するのは危険。教育費の負担増や、役職定年後の給与低下にも備えるべき	P.24
②	「年収倍率」が高いほど、将来のローン残高も多くなるため、退職金で返すことも難しくなる	P.44、184
③	定年等により、60～65歳以降は高額のローン返済はまず無理	P.38
④	公務員などを除き、ボーナスをアテにしすぎるのは危険	－
⑤	返済期間が長いほど、変動金利型の金利上昇リスクは大きい	P.82～89
⑥	最低限の手持ち資金（200万円程度）は確保しておくべき	－

8 親からの資金援助の勘どころ

「直系尊属から住宅取得等資金の贈与を受けた場合の非課税制度」という贈与税の優遇措置が、2023（令和５）年12月31日まで実施されています。令和４年度税制改正で消費税率等による区分が廃止され、非課税限度額は1,000万円または500万円となりました。

直系尊属からの住宅資金贈与は優遇大！

本制度を利用すると、18歳以上の子や孫が、親や祖父母など直系尊属から「住宅取得等資金」の贈与を受けた場合、要件を満たせば通常の贈与税の基礎控除額に加えて、一定額まで贈与税が非課税となります。

非課税限度額は、取得した住宅が「省エネ等住宅」に該当するかで異なり、該当すれば1,000万円、該当しない場合は500万円です。

仮に、2022（令和４）年中に贈与を受け「省エネ等住宅」を取得した場合、贈与税の基礎控除（年額110万円）を加えた非課税限度額は1,110万円となり、この額を超えて贈与された場合は超過額に対して贈与税がかかります。

具体的には右ページの図表（速算表、および計算例）をご覧ください。

制度のポイント

本制度については、とくに以下の点に留意しておく必要があります。

1）贈与を受けた年の翌年３月15日までに住宅を取得し、居住すること

2）贈与を受ける人が、その年の１月１日において18歳以上(注)であること

（注）2022（令和４）年３月31日までに贈与された場合は20歳以上

※年齢は贈与を受けた年の１月１日現在で判断されます。

3）贈与を受けた年分の合計所得金額が2,000万円以下(注)であること

4）取得する住宅の床面積が、原則として50㎡以上(注)240㎡以下であること

（注）贈与を受ける人の合計所得金額が1,000万円以下の場合は40㎡以上

5）中古住宅の場合は「新耐震基準」に適合している住宅用家屋であること

（注）登記簿上の建築日が1982（昭和57）年１月１日以降であるか、「耐震基準適合証明書」などによる証明が必要。

6）贈与された資金は購入代金等に充てること（諸費用への充当は不可）

7）税額の有無にかかわらず、申告期限までに贈与税の申告を行うこと。

●直系尊属から住宅取得等資金の贈与を受けた場合の「非課税限度額」

贈与された日	取得した住宅の区分	
	省エネ等住宅	左記以外の住宅
2022年1月1日～2023年12月31日	1,000万円	500万円

（注1）「省エネ等住宅」は、以下の基準に適合する住宅用家屋を指します。
- 断熱等性能等級4以上もしくは一次エネルギー消費量等級4以上
- 耐震等級（構造躯体の倒壊等防止）2以上もしくは免震建築物
- 高齢者等配慮対策等級（専用部分）3以上

※住宅性能証明書など一定の書類を贈与税の申告書に添付する必要があります。
（注2）東日本大震災の被災者は非課税額がそれぞれ500万円加算されます。

●直系尊属から贈与を受けた場合の贈与税額の速算表

※受贈者＝18歳以上

基礎控除後の金額	税率	控除額
200万円以下	10%	－
200万円超　400万円以下	15%	10万円
400万円超　600万円以下	20%	30万円
600万円超　1,000万円以下	30%	90万円
1,000万円超　1,500万円以下	40%	190万円
1,500万円超　3,000万円以下	45%	265万円
3,000万円超　4,500万円以下	50%	415万円
4,500万円超	55%	640万円

※贈与税額は、「金額×税率－控除額」で計算します。

〈参考〉贈与税の計算例

●2022年に1,500万円をもらい、「省エネ等住宅」を取得した場合
- 基礎控除後の課税価格＝1,500万円－（1,000万円＋110万円）　→390万円
- 贈与税額＝390万円×15%－10万円　→48.5万円

●2022年に「省エネ等住宅」を取得した場合の贈与税額の目安

（単位：万円）

贈与された金額		110	300	500	610	1,000	1,200	1,500	2,000
通常	基礎控除後の課税価格	0	190	390	500	890	1,090	1,390	1,890
	贈与税額	0	19	48.5	70	177	246	366	585.5
軽減後	基礎控除後の課税価格	0	0	0	0	0	90	390	890
	贈与税額	0	0	0	0	0	9	48.5	177

Column

育児休業期間中などの申込みは？

昨今では、夫婦共働きの世帯が増えました。みずから「働きたい」と希望する女性もいるでしょうが、夫だけの収入では生活が厳しい時代になったという現実も影響しているように思われます。

住宅ローンを借りる場合も、夫の収入だけでは審査に通らないケースが増えています。このような場合は、扉のカラーページ（P.８）でふれた「収入合算」や「ペアローン」を利用することになります。

しかし、なかには妻が妊娠中だったり、産前・産後休業、または育児休業期間中というケースもあるでしょう。このような場合にも融資（または収入合算）が可能かどうかは、金融機関やローン商品で異なります。

たとえば「フラット35」では、育休中などの人が申込人、または収入合算者になることも可能です。ただし、申込みに際しては勤務先による休業期間や支給期間、支払給与の金額等が確認できる書類の提出が求められ、取扱機関によっては融資実行日等までの復職も条件とされます。

妊娠中の申込みについても、それ自体に問題はないとのことですが、融資の実行が産前・産後休業や育児休業期間中となる場合は、勤務先への「在籍確認」が取れなくなります。融資実行後に産休に入る予定であったとしても、工期が遅れて引き渡しが伸びる（＝産休中の在籍確認や融資実行になる）というリスクを認識しておく必要があります。

一方、民間住宅ローンでは、育児休業中の借入れ等は難しい金融機関が多いと言えます。金融機関によっては、勤務先から「復職証明書」を発行してもらうなどを条件にＯＫが出るところもありますので、どうしても育児休業中に住宅ローンを組んでマイホームを取得したい場合は、金融機関のＨＰや電話などで確認する必要があります。

ちなみに、早くから対応していた三菱ＵＦＪ銀行では、勤続年数等の要件を満たせば、審査の申込みも育休中の融資実行も可能です。また、2006（平成18）年３月24日以降の借入れに対しては、出産前から出産後６カ月以内に申し出れば、適用金利が１年間さらに0.2%優遇されます。

SECTION

2

住宅ローンの基礎知識

9 住宅ローンはどこで借りられる?

一般的に利用できる住宅ローン商品の詳しい解説は、あとの章で行っていきますが、ここではまず、どこで住宅ローンが借りられて、自分はどれが利用できるのか、そして利用する際の注意点は何か、といった点について確認していきましょう。

融資の種類や金融機関ごとの特徴を確認しよう

雑誌や新聞などの広告、インターネットなどで気になる住宅ローンを見つけたとしても、そもそも融資を申込む資格がなければ借りることはできません。予備知識として、以下の点を理解しておきましょう。

●銀行等の金融機関

基本的には口座を持っていなくても申込むことができますが、物件が支店等のエリア内にあることが条件とされています。ちなみに、筆者は東京都在住ですが、長野県に本店のある地方銀行の都内の支店で借りたことがあります（諸条件や金利面で魅力的だったのが理由です）。

とはいえ、申込みはできますが、審査に通るかどうかは別問題です。とくに自営業者や中小企業の経営者に対する審査は厳しく、大手銀行等では直近3年以内に一度でも赤字決算となった年があると、他の条件にかかわらず、門前払いするところもあります。実は、筆者もそうでした（ちなみに、弊社の従業員は、その金融機関の住宅ローンの審査に通っています…）。

なお、不動産会社や勤務先を通して申し込む「提携ローン」では、通常より有利な条件が設定されたり、審査基準が緩くなる場合も見られます。

●ネット銀行など

インターネットから申込み、書類のやりとりは郵送やWebで行うスタイルがネット銀行の住宅ローンの特徴です。店舗網や住宅ローンセンターなどを保有していても、上記の営業スタイルを中心とする金融機関もありますので、本書ではこれらも含めて「ネット銀行等」と表記することにします。

ネット銀行等では、コストの少なさを武器に金利水準の低い住宅ローンを提供しており、原則として全国どこでも利用できる点も魅力です。

ただし、申込みから融資の実行（資金交付）まで1カ月～1カ月半程度の時間がかかる場合もありますので、融資の実行までに時間的な余裕がある人でないと、利用は難しくなるかもしれません。

●フラット35

職業にかかわらず、基本的には前年の年収（自営業者は所得）をベースに収入基準を判断します。自営業者などにとっては、最も利用しやすいローンの１つといえるでしょう。ただし、取得する住宅に対する要件は民間住宅ローンより厳しくなっています。

●あなたはどのローンが借りられる？

種類		借りられる人
公的融資	機構融資	新規取得者向けの融資は、住宅金融支援機構が認定した自然災害の罹災者が対象（＝災害復興住宅融資）
	財形住宅融資	勤労者が対象で、財形貯蓄を１年以上継続し、貯蓄残高が50万円以上あることなどが要件
民間住宅ローン	大手銀行 信託銀行	年齢等の要件を満たせば申込みは可能。審査は返済能力や自己資金などから総合的に判断され、他の金融機関と比べて厳しい
	地方銀行	審査は大手銀行と同じスタイルが多いが、多少は緩やか。本店所在地以外の都道府県にある支店でも利用できる場合が多い
	信用金庫 信用組合	営業地区内に居住・勤務等している人が出資会員（or組合員）となり、審査で承認が下りれば融資が受けられる。
	ネット銀行	離島などを除き全国どこでも申し込める。ただし、保証会社を利用しないため審査は厳しく、融資実行まで時間がかかるといった傾向がある
	労働金庫	加盟労働組合の組合員に加え、一般の人が利用できる地域もある
	JA（農協）	地域の農協組合員が対象だが、准組合員になることで利用できる
	生命保険会社	提携ローンとして利用するケースが中心
	モーゲージ・バンク等	フラット35の取扱いが中心だが、なかには独自の商品（変動金利型や固定金利選択型など）を取り扱うところもある
	ノンバンク等	誰でも利用できるところと、提携先企業の社員や顧客などに限定している場合とに分かれる
フラット35		物件の要件や収入基準などをクリアすれば、融資が受けられる
フラット50		返済期間（36年～50年）と、完済時の年齢制限（80歳完済）の関係上、利用できるのは29歳～43歳以下（親子リレー返済を除く）

SECTION 2

10 住宅ローンの金利タイプ

住宅ローンの金利は、固定金利と変動金利の２つに大別されます。どちらを選ぶかで将来的な損得が変わってきますので、住宅ローンを選ぶ際に最も重要なポイントになります。
まずは、それぞれの特徴を押さえておきましょう。

固定金利型のポイント

住宅ローンの金利のうち、借入時に定められた金利が返済終了まで続くタイプが「固定金利型」です。証券化ローンである「フラット35」や、一部の民間住宅ローンで採用されています。

当初の一定期間（一般的には10年）より、それ以降の金利が高く設定されている「段階金利型」というシステムも、固定金利型の一種です。

全期間固定金利型も段階金利型も、いずれも借入時点で将来の金利が決まるため、将来的な返済額もあらかじめ確定するという安心感がありますが、金利水準は変動金利型より高いのが一般的です。

変動金利型などのポイント

「変動金利型」では、一定期間ごとに適用金利が見直されます。民間の変動金利型ローンの場合は半年単位で見直されるのが一般的です（正確には、年に２回、年の前半分と後半分で金利が設定されます）。１年や３年、５年ごとに見直すタイプもありますが、ほとんど利用されていません。

ただし、返済額は金利が変わるたびではなく、５年単位で再計算し、見直されます。また、見直し後の返済額には、直前の返済額の1.25倍を上限にするという規定（125％ルール）があり、たとえば現在の毎月返済額が10万円であれば、６年目以降、次の５年間の返済額は、どんなに金利が上がっても12.5万円までとなります（注：ソニー銀行と新生銀行では、金利が見直されるごとに返済額も変わるシステムが採用されています）。

公的融資の財形住宅融資でも変動金利型が採用されています。ネーミングは「５年固定金利制」ですが、５年ごとに金利と返済額が見直されますので、民間住宅ローンでいうところの「変動金利５年もの」と同じタイプだと考えておきましょう。財形住宅融資の場合は、金利変更後の返済額の上限が1.5倍となっている点にも留意が必要です。

このほかにも、通常より金利が若干高い代わりに適用金利に上限がついている「上限金利付変動金利型」というタイプもありますが、ほとんど利用されていないのが実状です。

一方、「固定金利選択型」などと呼ばれる商品は、変動金利型をベースとして、当初の一定期間の金利が「特約」をつけることにより固定されるしくみです。「固定」という言葉が使われていますが、選択した固定金利特約期間が終了したあとは変動金利に戻る（あるいは再度、その時点の金利水準で一定期間の固定金利特約を選ぶ）ことになりますので、将来的な金利上昇リスクがある点には注意が必要でしょう（詳しくは90ページ以降を参照）。

なお、一部の民間住宅ローンでは、７対３の比率や半分ずつなど、固定金利や変動金利を組み合わせて借りる「ミックスプラン」も利用できます。

●住宅ローンの金利タイプ

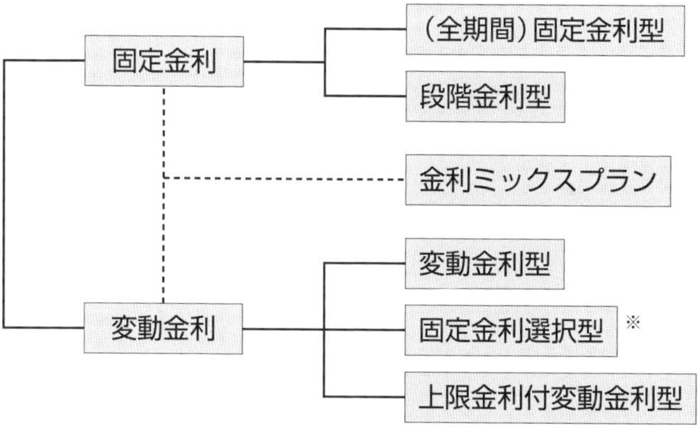

固定金利	フラット35、フラット50、一部の民間住宅ローン
変動金利	財形住宅融資、民間住宅ローン

※「固定金利選択型」は、当初の固定金利期間に応じて、さらに、「３年固定」、「５年固定」、「10年固定」などに分かれます。

※ 一部の金融機関では、特約期間が20〜30年など長いタイプも取り扱っています。

SECTION 2

11 基準金利と優遇金利

住宅ローンには、同じ取扱い機関の同一の金利タイプなら誰もが同じ適用金利で利用できるものと、同じ金利タイプなのに借りる人によって適用金利が異なる商品、の2つがあります。民間住宅ローンは後者が多く、金利は、基準金利と優遇金利に大別されます。

実際の貸出しは、優遇金利が一般的

その金融機関が貸し出す際のベースとなる金利が「基準金利」(=店頭表示金利) です。かつてはこの金利で、どの金融機関も貸出しを行っていました。

しかし、現在では基準金利を設定しつつも、実際に貸し出す際の金利を引き下げて対応するところが圧倒的。これが「優遇金利」と呼ばれるものです。

大手銀行などでは、扉ページで解説した「保証料型」や「事務手数料型」などの違いによっても、優遇金利の水準を若干変えています。

優遇金利の適用条件と、優遇の度合いを確認

ひと口に優遇金利といっても、誰に対しても適用する優遇金利から、最も金利が低くなる場合の最優遇金利まで、いくつかの段階が設けられているのが一般的です。金利優遇のシステムは金融機関ごとに異なりますが、右ページのようなタイプに分けることができるでしょう。

「最優遇金利型」は一般的に審査が最も厳しい反面、利用できる場合の金利があらかじめわかっており、資金計画が立てやすいのがメリットです。

「ポイント型」も、どの程度の金利優遇が受けられるかは、融資の申込み時点である程度わかるでしょうから、納得しやすいといえそうです。

ただし、このタイプの場合、①ポイントによる金利優遇のハードルが低く、最優遇金利等で借りやすい、②ハードルが高く、最優遇金利等で借りるのは難しい、という2つの種類に分かれます。

右ページ下は前者の例ですが、最優遇金利(「10年固定」で0.90%)、または優遇金利④(同1.00%)で借りられる人がほとんどでしょう。

一方、「22歳以下の扶養する子どもが3人以上いるか、65歳以上の同居予定者がいる」、「地域の木材を使った戸建て住宅を取得する」、などのように、

誰もが該当できるものではない項目まで満たさなければ最優遇金利の適用が受けられない金融機関もあります。事前に細かく確認しておきましょう。

なお、「総合型」の場合、審査結果が出るまで適用される優遇金利がわからない点は不安ですが、イ）頭金が10〜20%未満、ロ）「年収倍率」がかなり高い、ハ）返済負担率が高い、ニ）自営業者や中小企業の役員である、などのケースを除けば、最優遇金利の適用が受けられるようです。

●民間住宅ローンの金利優遇のタイプ

タイプ	特　徴	該当する金融機関等
最優遇金利型	審査に通れば、最優遇金利が適用される ※自己資金の割合等で若干高くなる場合もある	一部の地方銀行、ネット銀行など
ポイント型	ベースとなる金利優遇に、設定した項目を満たした場合に付与されるポイント的な金利優遇を加算して、優遇幅が決まる	地方銀行、信用金庫、ろうきんやJA（農協）の一部など
総合型	借入れの内容（自己資金の割合も含む）や審査結果で、優遇幅を総合的に判断	大手銀行、信託銀行、一部の地方銀行など

●金利優遇システムと、「10年固定」の適用金利の例（大分銀行）

金利の種類	適用金利	当初優遇幅	適用条件
基準金利	3.05%	（±０%）	−
優遇金利①	1.30%	▲1.75%	※条件はない
優遇金利②	1.20%	▲1.85%	下記の金利引き下げ条件に１つ該当
優遇金利③	1.10%	▲1.95%	〃　２つ該当
優遇金利④	1.00%	▲2.05%	〃　３つ該当
最優遇金利	0.90%	▲2.15%	「プレミアム金利適用条件」に該当

※適用金利は2022年５月時点のもの。優遇金利は「大分銀行アプリ」に登録することも要件となる。

〈金利引き下げ条件〉

- 大分銀行で給与振込または年金受取り
- インターネットバンキングの契約
- 公共料金の口座振替を利用（電話・電気・ガス・水道・ＮＨＫのうち、１つ以上）
- 指定されたクレジットカードの契約、または「スマート通帳」の利用
- 「ガス化住宅」または「オール電化住宅」に該当
- 「カードローン」の契約

〈プレミアム金利適用条件〉　※以下のすべてを満たす場合

- 年収が400万円以上（収入合算は不可）
- 大分銀行で給与振込がある
- インターネットバンキング、カードローン、または指定したクレジットカードの契約、「スマート通帳」の利用、のうち１つ以上の取引がある

12 返済期間の選択が重要

返済期間を長くすれば月々の返済額が減りますので、さしあたっての生活は楽になるでしょう。しかし、資金計画は返済終了までを見越して考える必要があります。定年など大きな収入状況の変化は、計画を立てる上での大切な要素となってきます。

理想は60歳、遅くても65歳までに完済したい

下図で示した「フラット35」のように、多くの住宅ローンの最長返済期間は35年で設定されています。しかし、仮に40歳で住宅を購入して35年返済を選ぶと、完済は75歳です。ローンの残りを一括返済するために退職金をすべて使ってしまうと、最悪の場合、老後は年金だけで生活することにもなりかねません。住宅ローンの返済は、定年を迎える60歳～65歳くらいまでに終わらせる計画を立てたいところです。

その年齢を超えてしまう場合は、213ページ以降の〈巻末資料：5〉などを参考に、60歳時点でローン残高がどのくらい残っているかを確認し、事前に対応策を考えておくことが必要です。

また、役職定年や転籍、出向などで、60歳前にも収入が減ることが予想される場合は、その点も返済計画に織り込んでおかなくてはなりません。

●「フラット35」（買取型）の返済期間（1年刻み）

①年齢による返済期間

申込み時の年齢	返済期間
60歳未満	15年～35年
60歳以上70歳未満	10年～35年

②年齢に応じた最長返済期間

80歳－申込本人の申込時の年齢（1歳未満切り上げ）

※①、②の両方を満たす返済期間を設定しなければなりません。

（例1）37歳5カ月で借入れ　→38歳。35年返済まで可能（完済時はほぼ73歳）

（例2）47歳5カ月で借入れ　→48歳。32年返済まで可能（80歳－48歳）

返済期間が違うと、返済総額も変わる

借入金額が同じであっても、適用金利と返済期間が違えば毎回の返済額には大きな差が出てしまいます。

また、同じ金利でも、返済期間によって返済総額は違ってきます。

返済期間を長くすれば毎回の返済額を減らすことは可能ですが、返済総額は増えてしまいます。完済までに支払う利息も、短い期間で返し終える場合より多くなることは説明するまでもないでしょう。

下表は、借入金額1,000万円に対する、金利水準と返済期間ごとの「返済総額（元利均等返済、ボーナス払いなし）」を例示したものです。昨今では金利水準が低いためかつてのような劇的な差は出ませんが、借入金額が多ければ返済総額の差は数百万円にも上ります。下表と電卓を使って、自分の場合はどれくらい違うかを把握しておきましょう。

なお、変動金利型や固定金利選択型ローンで借りる場合、返済期間を短くすれば将来的な金利上昇リスクが軽減される点も覚えておきましょう。

●借入金額1,000万円に対する返済総額の違い

		返済期間				
		15年	20年	25年	30年	35年
金利	0.50%	1,038万円	1,051万円	1,064万円	1,077万円	1,090万円
	0.625%	1,048万円	1,064万円	1,080万円	1,097万円	1,114万円
	0.85%	1,066万円	1,088万円	1,110万円	1,133万円	1,157万円
	1.00%	1,077万円	1,104万円	1,131万円	1,158万円	1,186万円
	1.20%	1,093万円	1,125万円	1,158万円	1,191万円	1,225万円
	1.30%	1,101万円	1,136万円	1,172万円	1,208万円	1,245万円
	1.40%	1,109万円	1,147万円	1,186万円	1,225万円	1,265万円
	1.50%	1,117万円	1,158万円	1,200万円	1,242万円	1,286万円
	1.60%	1,126万円	1,169万円	1,214万円	1,260万円	1,307万円
	1.70%	1,134万円	1,180万円	1,228万円	1,277万円	1,328万円
	2.00%	1,158万円	1,214万円	1,272万円	1,331万円	1,391万円

＜ケース＞　4,000万円を、金利1.50％（全期間固定金利型）で借りる場合

①返済期間35年　→返済総額は約5,144万円（1,286万円×4（4,000万円÷1,000万円））

②返済期間25年　→返済総額は約4,800万円（1,200万円×4（4,000万円÷1,000万円））

13 元利均等返済と元金均等返済

これまで説明したいろいろな返済例は、元金分と利息分を合計した毎回の返済額が一定となる「元利均等返済」を前提にしています。これに対して、元金分を毎回均等に返済し、利息を含めた返済額が次第に少なくなっていく「元金均等返済」という方法もあります。

元利均等返済の利用が圧倒的

住宅ローンの返済方法として、一般的に選択されるのは元利均等返済です。

その理由は２つあります。ひとつは、毎月の返済額が一定なので返済計画が立てやすい点。もうひとつは、元金均等返済に比べて当初の返済額が少なくなる点です。マイホームの取得直後は何かと出費もかさみますので、通常は負担の少ない元利均等返済のほうがいいと考えるでしょう。

ただし、元利均等返済の場合、金利が高いときには、返済当初は返済額に占める利息分の割合が多くなり、元金があまり減らないケースもあります。

一方、元金均等返済では、元金の返済ペースが早いとともに毎月の返済額は回を追うごとに少なくなります。その結果、返済総額は元利均等返済より少なくてすみます。その代わり、当初の返済額が多くなるので、収入基準をクリアするためには、より多くの年収が必要となります。

●元利均等返済と元金均等返済の違い

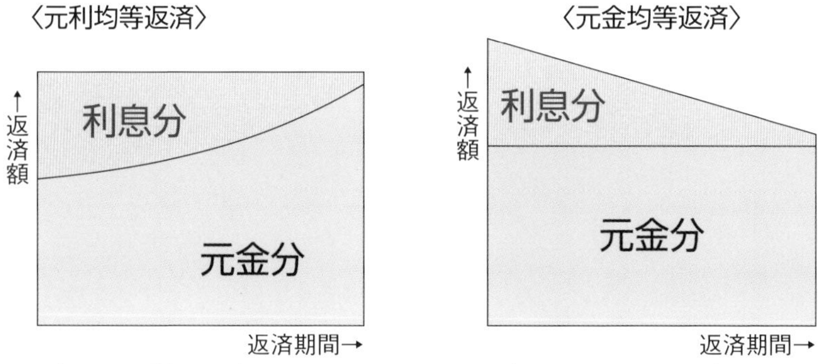

毎回の返済額が一定　　　　毎回の元金部分の返済が一定

低金利時代には、返済総額の差は少ない

金利水準が高いほど、また返済期間が長いほど、元金均等返済のほうが返済総額は少なくなりますが、昨今の金利水準では２つの返済方法の間に大きな差はありません（下図参照）。したがって、筆者としては、返済計画の立てやすい元利均等返済に軍配を挙げておきます。なお、将来、インフレが起こると思う人も、元利均等返済を選ぶのがセオリーです。

●元利均等返済と元金均等返済の返済額などの比較

A．元利均等返済〔借入金額3,600万円、金利1.2%、30年返済の場合〕　（単位：円）

	毎月返済額	毎月返済額の内訳		ローン残高
		利息分	元金分	
1回目	119,127	36,000	83,127	35,916,873
2回目	119,127	35,916	83,211	35,833,662
3回目	119,127	35,833	83,294	35,750,368
1年後	119,127	35,081	84,046	34,996,964
5年後	119,127	30,950	88,177	30,862,326
10年後	119,127	25,500	93,627	25,407,123
15年後	119,127	19,714	99,413	19,614,763
20年後	119,127	13,569	105,558	13,464,406
25年後	119,127	7,046	112,081	6,933,932

→返済総額＝約4,289万円

B．元金均等返済〔借入金額3,600万円、金利1.2%、30年返済の場合〕　（単位：円）

	毎月返済額	毎月返済額の内訳		ローン残高
		利息分	元金分	
1回目	136,000	36,000	100,000	35,900,000
2回目	135,900	35,900	100,000	35,800,000
3回目	135,800	35,800	100,000	35,700,000
1年後	134,900	34,900	100,000	34,800,000
5年後	130,100	30,100	100,000	30,000,000
10年後	124,100	24,100	100,000	24,000,000
15年後	118,100	18,100	100,000	18,000,000
20年後	112,100	12,100	100,000	12,000,000
25年後	106,100	6,100	100,000	6,000,000

→返済総額＝約4,250万円

14 元利均等返済のしくみ

ここでは、元利金等返済の「返済額」、「利息（分）」、「元金（分）」、「ローン残高」、の各項目の計算の仕方を確認しましょう。

これが理解できれば、住宅ローンの返済スケジュールが書かれた「償還予定表」も理解しやすくなるはずです。

「返済額」は百万円あたりの「返済額早見表」から把握

元利均等返済の返済額は、実際には一定の計算式を使って算出されますが、208ページのような「借入金額100万円あたりの返済額早見表」を用いて試算することも可能です。

たとえば、100万円を金利1.2％、35年返済で借りる場合は、「早見表」の「1.2％」と「35年」が交差しているところの数字を見ます。208ページを見ていただくと、「2,917」と書いてありますが、これはこの場合の毎月返済額が「2,917円」だということを示しています。

したがって、この条件（1.2％、35年返済）で1,000万円を借りる場合は、「2,917円×10（1,000万円÷100万円）」から、毎月の返済額は29,170円になることがわかるでしょう。※実際の金額とは円単位の誤差が生じる場合があります。

毎月の「利息」は、「月利」から計算される

このうちの利息（分）は、「（直前の）ローン残高×月利」で計算されます。ここでの「月利」とは、年利を12カ月で割った数字ですので、このケースでは「0.1％（1.2％÷12）」です。そして、第１回目の利息（丸１カ月分）は、「当初の借入金額×月利」から計算されて、10,000円（1,000万円×0.1％）となります。（注）実際の第１回目は日割りで算出されます。

一方、元金（分）の返済額は「返済額－利息」から算出されますので、第１回目は「19,170円（29,170円－10,000円）」。また、ローン残高は「直前のローン残高（第１回目は借入金額）－元金（分）」から計算され、１回目の返済終了時には「9,980,830円（1,000万円－19,170円）」となります。

あとはこれを最後（このケースでは420回）まで繰り返せば、住宅ローンの返済スケジュールが示された「償還予定表」が作成できるわけです。

返済額に対する「元金」の割合が重要

下図は、同じ条件の元利均等返済（借入金額：1,000万円、金利：1.2%）で、「35年返済」と「25年返済」の当初の返済額などを比較したものです。

返済期間が異なるため毎回の返済額も違いますが、第１回目の利息はどちらも同じ金額であることがわかるでしょう。返済期間を短くすると返済額は増えますが、それは利息ではなく、元金部分の返済が多くなるからなのです。そして、元金の返済が多い分、ローン残高は順調に減っていき、次回以降の利息はさらに少なくてすむという好循環につながります。

金利が高い時期に35年返済を利用すると、当初の返済額はほとんどが利息に充当されます。しかし、おおむね２%を下回れば、利息より元金部分のほうが多い（＝残高がどんどん減る）状況が、返済当初から発生します。

したがって、現在のような超低金利時代には、金利上昇リスクのない（あるいは少ない）長期の固定金利型で借りて、65歳までに返済が終了するメドが立っているのであれば、35年返済も悪くはないと言えるでしょう。

とはいえ、25年返済を見ると、元金部分の割合が返済当初から約４分の３ときわめて高く、借入金額1,000万円あたりの返済総額を35年返済と比べると67万円も少なくてすみます。これほど低い金利水準なのに、借入金額に対して７%近くも返済総額が違ってくるということです。

無理のない資金計画であることが大前提ですが、返済期間はなるべく短いほうがよいと理解しましょう。

●元利均等返済の返済スケジュール（例）

① 借入金額：1,000万円、金利：1.2%、35年返済

回	返済額	利息	元金	ローン残高
1	29,170	10,000	19,170	9,980,830
2	29,170	9,980	19,190	9,961,640
3	29,170	9,961	19,209	9,942,431

返済総額
約1,225万円

② 同上、25年返済

回	返済額	利息	元金	ローン残高
1	38,599	10,000	28,599	9,971,401
2	38,599	9,971	28,628	9,942,773
3	38,599	9,942	28,657	9,914,116

返済総額
約1,158万円

（単位：円）

SECTION 2

15 ローン残高の推移にも注目！

前述の方法で、元利均等返済の返済額などは計算できるのですが、さらに確認しておきたいのが「ローン残高」の推移です。

これを把握することで、将来的に金利が上がった場合に返済額がどれくらい増えるか、といった数字も計算できることになります。

ローン残高の推移がわかれば、いろいろな試算ができる

みなさんは、次の質問に答えることができるでしょうか？

＜問１＞将来の住宅ローン控除は、どの程度の額になるか？

＜問２＞将来的に金利が上がった場合、返済額はどれくらい増える？

＜問３＞全期間固定金利型と固定金利選択型はどちらがトクか？

それぞれの勘どころなどは、P.160～163（問１）、P.84～87（問２）、P.98～105（問３）で確認していただくとして、いずれの場合にもかかわってくるのが「将来的なローン残高」です。

住宅ローン控除による減税額は年末のローン残高をもとに計算されますし、金利が変動したあと（もしくは固定金利特約終了後）の将来的な返済額も、見直し時点のローン残高をベースに計算されます。また、固定金利型と固定金利選択型の損得の分岐点となる金利水準についても、後者の固定金利期間が終了した時点のローン残高などから計算できるのです。

〈巻末資料：５〉では、元利均等返済における「返済期間別・金利ごと」のローン残高の推移表を載せておきましたので、参考にしてください。

右ページにその抜粋を載せておきますが、たとえば「借入金額：4,000万円、金利：1.5%、返済期間：30年」という前提での10年後のローン残高は、表中の「借入金額1,000万円あたりの該当するローン残高×４（4,000万円÷1,000万円）」から計算できます。このケースでは、約2,860万円（715万円×４）が、10年後のローン残高の目安だとわかるでしょう。

退職金に頼らず返済できるのが理想ですが、年齢や家計によっては、どうしても退職金での一括返済を念頭に置いた資金計画にならざるを得ないこともあるでしょう。そのような場合はとくに、定年時点でどれくらいのローン残高となるのか、あらかじめ想定しておかなければなりません。

●ローン残高の推移（借入金額1,000万円あたり）　　（単位：万円）

	35年			30年			25年		
	0.5%	1.0%	1.5%	0.5%	1.0%	1.5%	0.5%	1.0%	1.5%
1年後	974	976	978	969	971	973	962	965	967
2年後	947	952	956	938	942	946	925	929	933
3年後	921	927	933	907	913	919	886	893	899
4年後	894	903	910	875	883	891	848	856	864
5年後	868	878	887	844	853	863	810	819	829
6年後	841	852	864	812	823	834	771	782	793
7年後	814	827	840	780	793	805	732	745	757
8年後	787	801	815	748	762	776	693	707	720
9年後	759	775	791	716	731	746	654	668	682
10年後	732	749	766	683	699	715	615	630	644
11年後	704	723	740	651	668	684	575	591	606
12年後	677	696	714	618	636	653	536	551	567
13年後	649	669	688	585	603	621	496	511	527
14年後	621	641	662	552	570	589	455	471	486
15年後	593	614	635	519	537	556	415	430	445
16年後	564	586	607	485	504	523	374	389	404
17年後	536	558	579	452	470	489	334	348	362
18年後	508	529	551	418	436	455	293	306	319
19年後	479	501	522	384	402	420	252	263	275
20年後	450	472	493	350	367	384	210	220	231
21年後	421	442	464	316	332	348	169	177	186
22年後	392	413	434	282	297	312	127	134	141
23年後	363	383	403	247	261	275	85	90	95
24年後	333	353	372	212	225	237	42	45	48
25年後	304	322	341	177	188	199	0	0	0
26年後	274	291	309	142	151	161			
27年後	244	260	277	107	114	121			
28年後	214	229	244	71	76	82			
29年後	184	197	211	36	38	41			
30年後	154	165	177	0	0	0			
31年後	123	133	143						
32年後	93	100	108						
33年後	62	67	72						
34年後	31	34	36						
35年後	0	0	0						

Column

申込み本人の年収が少ない場合は、「収入合算」などの制度も利用できる

住宅ローンの収入基準の算定にあたっては、ローン申込者本人の前年の収入（税込み年収）などが基準となりますので、年収が少ないと希望額を借りられないケースも出てきます。

このような場合でも、妻も働いていて収入があれば、希望する金額を借りられる可能性が見えてきます。最初に検討したいのが、民間金融機関の「ペアローン」を利用する方法です（扉の８ページ参照）。

しかし、ペアローンも住宅ローンの１つであることに変わりはありません。妻が申込み要件として設定されている最低年収などを満たしていることがまずは不可欠です。また、住宅ローンのパンフレットや商品概要説明書などに「安定・継続した収入があること」という記載がある場合は、契約社員や派遣社員などの雇用形態だと、妻の借入れは難しくなります。

これらのケースでは、夫婦の収入を合わせて申し込む「収入合算制度」を利用することになります（フラット35にはペアローンという制度自体がありませんので、利用できるのはこの方法だけです）。

配偶者や、父母または子どもなどの直系尊属、婚約者など、同居予定者の収入をプラスして審査が行われますので、夫などが単独で申し込む場合と比べて希望額を借りやすくなります。

ただし、民間住宅ローンでは、妻がパートやアルバイトだと収入合算自体ができなかったり、収入の半分までしか認めないところもあるため、条件に合った金融機関を探すしかありません。何より、収入合算を行った場合に連帯債務型のローンとなるフラット35と違い、民間住宅ローンの多くは「連帯保証型」なので、妻（連帯保証人）は住宅ローン控除が受けられないなどのデメリットがあります。

なお、収入合算を行う場合にも、妻の公的な収入等の証明書が必要となります。年収が100万円以下の場合は、「市民税・県民税課税（非課税）証明書」などの交付を受けましょう（取得先は市区町村）。

SECTION 3

フラット35を利用する

SECTION 3

16 「フラット35」のしくみ

住宅金融支援機構と民間金融機関等とのコラボレーション・タイプのローンで、長期の固定金利で借りられるのが最大の特徴です。
金利低下が最終局面となった現在では、利用したい住宅ローンのひとつですが、留意点も確認しておきましょう。

ほとんどの金融機関が取り扱う

現在の住宅金融支援機構と民間金融機関との提携により2003（平成15）年10月から登場した証券化ローンが「フラット35」です。

右ページの図表で示した「買取型」の他に、取扱機関が独自に証券化する「保証型」というタイプもあり、それぞれ「フラット35（買取型）」、「フラット35（保証型）」と区別して表記されます。団信以外の基本的な商品性はほぼ同じですし、2022（令和４）年５月１日時点で保証型を取り扱うところは９つだけなので、本書では「買取型」のフラット35を中心に解説します。

この商品の最大の魅力は、金利タイプが全期間の固定金利型（または段階金利型）であり、金利上昇局面が来ても影響を受けない「安心感」でしょう。

「フラット35（買取型）」では、右ページの図のように取扱機関が貸し出した住宅ローン債権を住宅金融支援機構が買い取り、証券化する、というスキームが採られていますので、取扱機関も金利上昇リスクを負うことなく長期の固定金利で貸出しができるわけです。

そのため、銀行や信用金庫、信用組合などほとんどの金融機関が取り扱っており、一部の保険会社やモーゲージバンク、住宅メーカー系列等のノンバンクなども参入しています。

返済期間で商品名や金利水準などが異なる

この商品では「フラット35」という統一名称が使われていますが、基本的には民間住宅ローンですので、適用金利は取扱機関ごとに異なります。

とはいえ、昨今では適用金利を毎月の最低水準で設定するところが多くなっており、2022年５月時点では1.48%（団信特約料込み）という水準です。

利用する返済期間によって金利水準や商品性の一部が異なり、右ページの表のように、「フラット35」や「フラット20」、「フラット50」といった名称で分けられます。ちなみに、フラット20は、以前は「フラット35（返済期間15年以上20年以下）」と表示されていました。ここからもわかるように、商品性自体は「フラット35」と同じです。

利用にあたっては、物件の要件や収入基準など、次ページで解説した要件を満たすことが必要ですが、新築住宅や築年数の新しい中古マンションでは多くの物件が対象になるでしょう。また、長期優良住宅などに該当する場合は、「フラット35Ｓ」（優良住宅取得支援制度）の適用を申し出ることにより、返済当初５年、ないし10年間の適用金利が0.25％引き下げられます。

ただし、8,000万円の範囲内で物件価額等の10割まで借りることはできますが、物件価額等に対する借入金額の割合（融資率）が９割を超える場合には、借入金額全体に対する融資金利が高くなります。

この上乗せ金利は以前より縮小して「＋0.26％」で設定されていますが、それでもダメージは否めません。借入金額が物件価額等の９割を超える場合は、他の商品を利用するか、フラット35の利用を９割までに抑え、民間住宅ローン（併せ融資）と併用することも考えましょう。

●「フラット35」（買取型）のイメージ

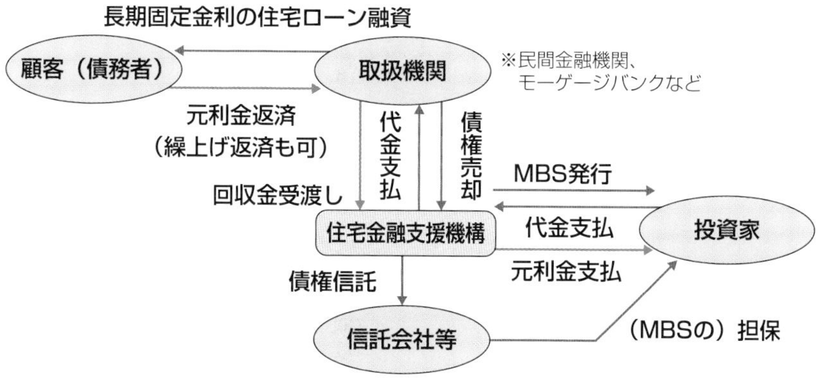

●返済期間による種類

名称	返済期間	利用できる住宅	融資限度額
フラット20※	15年以上 20年以内	一定の技術基準を満たした住宅	8,000万円
フラット35	21年以上 35年以内		
フラット50	36年以上 50年以内	長期優良住宅等に該当する住宅	

※60歳以上は10年以上の返済期間で利用可

SECTION 3

17 「フラット35」の利用条件

マイホームを新規で取得する人はもちろん、現在では、ローンの「借り換え」を行う際にも、「フラット35」が利用できます。
まずは利用できる物件の要件や収入基準など、基本的な概要をしっかりと押さえておきましょう。

機構の技術基準を満たす住宅が融資対象

「フラット35」は、住宅金融支援機構が定めた技術基準を満たす優良な住宅を融資の対象としています。

新築住宅の場合、昨今では多くの物件が融資基準を満たしているはずですが、利用できるかどうかを販売会社などに確認しましょう。

なお、2019（令和元）年10月以降、建設費（土地の購入費も含む）、または購入価額に対する制限（上限）は撤廃されています。

融資にあたってのおもな要件など

〈利用できる人〉

・申込時の年齢が満70歳未満（親子リレー返済を利用する場合は70歳以上でも可）で、安定した収入がある人
・日本国籍を持つ人、または永住許可などを受けている外国人
・すべての借入金（カードローンなども含む）に対する年間返済額が年収に占める割合について、次の基準を満たしている人

年収	400万円未満	400万円以上
収入基準	30%以下	35%以下

〈融資対象となる住宅の要件〉

・住宅の床面積　→　戸建て住宅の場合：70㎡以上
　　　　　　　　→　共同住宅（マンションなど）の場合：30㎡以上

※店舗等との併用住宅の場合は、住宅部分の床面積が全体の２分の１以上あること

・対象住宅が、機構の指定による適合証明書の交付を受けられること

〈「フラット35（買取型）」のその他のポイント〉

融資主体	民間金融機関などの取扱機関 （融資後、住宅金融支援機構がローン債権を買い取る）
資金使途	申込み本人またはその親族が住むための住宅の建設資金、および購入資金（中古住宅も可） ※ 要件を満たしたセカンドハウス（別荘など）も可 ※ 要件を満たせば借り換えでの利用もできる （注）リフォーム資金単独では利用できない
融資金額	100万円以上8,000万円以下。購入価額等の10割まで利用可 ※ 融資事務手数料や登記費用など、機構の定める諸費用も含めてよい
返済期間	15年～35年　※ 60歳以上の人は10年以上 親子リレー返済を利用する場合を除き、80歳完済
返済方法	元利均等毎月返済、または元金均等毎月返済 借入金額の40%以内の範囲で、ボーナス併用払いもできる
金利	融資金利は、取扱う金融機関等が毎月決定する → 利用する取扱機関によって金利は異なる ・融資実行時の金利が適用される ・金利は全期間固定金利型。一部では段階金利型もある ・返済期間20年以下と21年以上とで、融資金利が異なる ・融資率が9割超の場合、全体の融資金利が高くなる
融資事務手数料	金融機関によって異なり、以下の2種類に大別される ・手数料定額タイプ：3.3～11万円程度 ・手数料定率タイプ：「融資額×最大2.2%」 ※ 定率タイプのほうが、一般的に金利水準は低い
物件の検査	機構に登録済の中古マンション等以外は、検査が必要 検査と適合証明書の発行費用で3～15万円程度かかる
保証人	不要（保証料も不要）
一部繰上げ返済	100万円以上で実行できる（手数料は無料）※1
団体信用生命保険	機構団体信用生命保険に加入できる（義務ではない）※2 加入しない場合は、融資金利が0.2%低くなる
火災保険	一般の火災保険への加入が必要
担保設定	住宅金融支援機構が第1順位の抵当権を設定する

※1　インターネット経由で行う場合は10万円以上で可。期間短縮型の場合は、いずれも6カ月単位の元金相当額以上という要件も満たす必要がある。

※2　団信特約料（0.28%相当）が融資金利に含まれている。

18 「フラット35」の金利水準

2022（令和４）年５月時点で、フラット35の融資金利（融資率が９割以下の場合の最低金利水準）は1.48％となっており、この水準で設定する取扱機関が多くなっています。利用にあたっては、金利だけでなく、融資事務手数料にも注目して選びましょう。

取扱機関で金利は異なるが、格差は縮小

下のグラフは、「フラット35」などの最低金利水準の推移を示したものです。2017（平成29）年10月以降、団信特約料の金利内包化に伴い、表面的な金利水準は以前より0.28％高く表示されています。

特約料を勘案した金利水準で見ると、2022（令和４）年５月は過去最低水準より0.35％ほど高い程度に位置しています。

「フラット35」のホームページでは、地域や融資手数料のタイプなどの条件で取扱機関と金利が検索でき、並び替えも可能ですので活用しましょう。

●フラット35などの金利推移

（2003年10月～2022年5月）

※いずれも各月の最低金利を表示

●フラット35の金利水準等の例

（2022年５月現在）

金融機関等	金利	融資事務手数料	備　考
富山信金、興能信金	1.48%	33,000円	金利と手数料の低さで、NO.1のフラット35。
㈱優良住宅ローン※	1.48%	融資額×0.8% （最低110,000円）	全国を対象に融資を行う取扱機関のなかでは、最も低い金利水準と手数料率を誇る。
アルヒ㈱※	1.48%	融資額×2.2%	最低金利水準で、最も一般的な手数料率。 頭金が１割以上ある場合は「保証型フラット35」が利用でき、融資金利は低くなる。
三井住友信託銀行	1.48%	融資額×0.99% （最低220,000円）	取扱いエリアは、茨城県を除く関東、関西、東海地区など、34都道府県。
財形住宅金融㈱※	1.48%	融資額×0.99%	同社が取り扱う財形住宅融資と併用する場合の手数料率。通常は「融資額×1.1%」。 低利の「保証型フラット35」も取り扱う。
楽天銀行※	1.48%	融資額×1.1% （最低110,000円）	楽天銀行を返済口座にした場合の手数料率。 通常は「融資額×1.43%」。
住信ＳＢＩネット銀行※	1.48%	融資額×1.1% （最低110,000円）	「全疾病保障団信」を付帯すると、事務手数料が「×1.65%」になる（保証型は無料で付帯）。
神奈川銀行など	1.48%	融資額×1.1%	※ かながわ信金、西兵庫信金、播州信金、但陽信金、兵庫信金、紀陽銀行等も同条件
みずほ銀行※	1.48%	融資額×1.045%	要件を満たした場合の最低手数料水準。
りそな銀行	1.48%	融資額×1.65%	女性向け商品（愛称は「凛lin」）の手数料率。

※ 利用できるエリア等に注意。「※印」は全国で取り扱う。
（注）いずれも返済期間21年以上の金利水準。併せ融資の利用などによる優遇措置は除外。
（注）返済期間20年以下（フラット20）の最低金利水準は1.35%。
（注）借り換えで利用する場合は、手数料を引き下げるところもある。

●融資率の違いによる適用金利（最低金利水準）の差

（2022年５月現在）

種　類	融資率		（上乗せ金利）
	９割以下	９割超	
フラット35（返済期間21年以上）	1.48%	1.74%	（0.26%）
フラット20（返済期間20年以下）	1.35%	1.61%	

※2019年10月１日の融資実行分から、上乗せ金利は「＋0.26%」に引き下げられた。

19 金利の各種引き下げ制度

フラット35には、一定期間の適用金利が引き下げられる優遇制度が複数あります。利用できる地域や募集枠が限られるメニューもありますが、要件を満たして利用できる場合は必ず申し出ましょう。
なお、2022（令和４）年10月以降の改正内容もご確認ください。

おもな金利引き下げ制度の概要

・【フラット35】Ｓ（＝優良住宅取得支援制度）
取得する住宅が長期優良住宅等に該当するか、耐震性など４項目のいずれかで住宅金融支援機構が定めた技術基準を満たせば利用できます。
該当する場合は、各基準の性能により「金利Ａプラン」と「金利Ｂプラン」に区分されます。前者は借入当初10年間、後者は同５年間にわたり、適用金利が0.25％引き下げられますので、工務店等や仲介業者に確認しましょう。
なお、2022（令和４）年10月以降の申込分からは、断熱性能および一次エネルギー消費量の基準を満たす住宅を対象にした【フラット35】Ｓ（ＺＥＨ）という区分も追加されます。※「ＺＥＨ」については、163ページを参照。
・【フラット35】維持保全型
維持保全・維持管理に配慮した住宅や既存住宅の流通に資する住宅を対象に、2022年４月から導入された制度です。
・【フラット35】地域連携型、および地方移住支援型
住宅金融支援機構と提携している地方公共団体で一定の住宅を取得する人を対象にした制度で、「子育て支援」など右ページの３つに区分されます。

2022（令和４）年10月以降の制度改正も確認

金利引き下げの期間や幅は各制度ごとに異なりますが、2022年10月以降は右ページの上図で示したポイント制が導入され、「１ポイント＝当初５年間、▲0.25％」～「４ポイント＝当初10年間、▲0.5％」という４段階になります。
利用する際には適合証明書などの必要書類を添え、「金利引下げ制度利用申出書」を提出します。昨今の金利水準で試算すると、軽減効果は「１ポイントにつき利息の総額が0.5％程度少なくなる」といったイメージでしょう。

●フラット35の金利引き下げ制度の種類等（2022年10月以降）

グループ	金利引き下げメニュー			ポイント※1	～2022年9月の制度
［1］住宅性能	【フラット35】S	①	ZEH ※2	ⓅⓅⓅ (3)	－
		②	金利Aプラン ※2	ⓅⓅ (2)	当初10年間、▲0.25%
		③	金利Bプラン	Ⓟ (1)	当初5年間、▲0.25%
	【フラット35】リノベ	④	金利Aプラン ※3	ⓅⓅⓅⓅ (4)	当初10年間、▲0.5%
		⑤	金利Bプラン ※3	ⓅⓅ (2)	当初5年間、▲0.5%
［2］維持保全	【フラット35】維持保全型	⑥	長期優良住宅 ※2	Ⓟ (1)	当初5年間、▲0.25%
		⑦	上記⑥以外	Ⓟ (1)	
［3］地域連携	【フラット35】地域連携型	⑧	子育て支援	ⓅⓅ (2)	当初10年間、▲0.25%
		⑨	地域活性化	Ⓟ (1)	当初5年間、▲0.25%
	⑩	【フラット35】地方移住支援型 ※4		ⓅⓅ (2)	当初10年間、▲0.3%

※1：2022年10月以降の各制度におけるポイント数。最終的には3つのグループの合計で判定。
※2：長期優良住宅の認定を受けている住宅については、上記［1］と［2］のそれぞれ該当するポイントが合算される。
※3：【フラット35】（リノベ）を利用した場合、【フラット35】（維持保全型）とは合算できない。
※4：単独で利用する場合は下記によらず、2022年9月までと同じになる（当初10年間、▲0.3%）。

●合計ポイントに応じた金利引き下げ（2022年10月以降）

→上表の［1］～［3］のグループごとに1つのみ適用し、合計したポイント数で判定する

1ポイント Ⓟ	2ポイント ⓅⓅ	3ポイント ⓅⓅⓅ	4ポイント ⓅⓅⓅⓅ

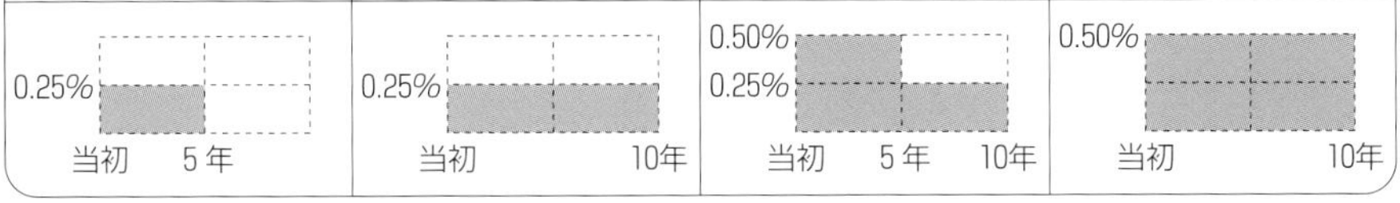

●2022年9月までの金利引き下げ制度の組み合わせ一覧

金利の引き下げ期間と引き下げ幅	組み合わせのパターン（丸数字は上表参照）
当初10年(▲0.25%)	③＋⑥ or ⑦、⑥ or ⑦＋⑨
当初5年(▲0.5%)	③＋⑨
当初7年(▲0.5%)	⑤＋⑨
当初5年(▲0.5%)、6～10年(▲0.25%)	②＋⑥ or ⑦、②＋⑨、③＋⑥ or ⑦＋⑨、③ or ⑥ or ⑦＋⑧
当初5年(▲0.55%)、6～10年(▲0.3%)	③ or ⑥ or ⑦＋⑩
当初10年(▲0.5%)	②＋⑥ or ⑦＋⑧ or ⑨、②＋⑧、③＋⑥ or ⑦＋⑧、⑤＋⑧
当初10年(▲0.55%)	② or ③＋⑥ or ⑦＋⑩、②＋⑩
当初11年(▲0.5%)	⑤＋⑩
当初12年(▲0.5%)	④＋⑧ or ⑨
当初16年(▲0.5%)	④＋⑩

※資料出所：上記の図表はすべてフラット35のＨＰの資料を元に著者作成。

20 「フラット35(リノベ)」の利用

中古住宅を購入する際に利用できる「フラット35（リノベ)」には、「リフォーム一体タイプ」と「買取再販タイプ」と呼ばれる2種類の制度があります。工事が「性能向上リフォーム等」に該当する場合は、借入当初の一定期間、金利の引き下げが受けられます。

「リフォーム一体タイプ」の魅力

中古住宅を購入して入居前にリフォームを行う場合、工事費用をどのように捻出するかは悩ましい問題でしょう。「フラット35／リノベ（リフォーム一体タイプ)」が利用できれば、工事費用も併せて借りられ、要件を満たした場合は大幅な金利優遇が受けられます（右ページ参照)。

原則として、工事後に「フラット35Ｓ」と同等の技術基準を満たす性能向上リフォーム（≒リノベーション工事）を行うことが融資の要件です。これを満たさなくても利用はできますが、金利の引き下げは受けられません。

融資限度額は、「中古住宅の購入代金（諸費用込み）＋工事代金」の100％以内（8,000万円が上限）です。ただし、①融資の実行が工事後になるため、「つなぎ融資」が必要となる、②融資の申込み前に工事の請負契約等をしなければならない、③取扱機関が限られている（2022年５月時点で82機関)、などの点には留意が必要でしょう。

民間でも「リフォーム一体型ローン」を取り扱う金融機関は増えていますが、金利の引き下げ制度はありません。まずは「リノベ」が利用できる取扱機関と融資金利等を、「フラット35」のＨＰで確認してみましょう。

「リノベーション済み物件」も対象

「フラット35（リノベ)」には、性能向上リフォームが施された中古住宅を宅建業者から購入する際に適用される「買取再販タイプ」もあります。

こちらは「フラット35（買取型)」の取扱機関すべてで申し込め、融資限度額は「購入代金（＋諸費用)」の100％以内です（上限は8,000万円)。

なお、2022（令和４）年10月以降、「リノベ」も含めた「フラット35」の金利引き下げ内容は大きく見直されますので、前項でご確認ください。

●「リフォーム一体タイプ」における利用手続きの流れ

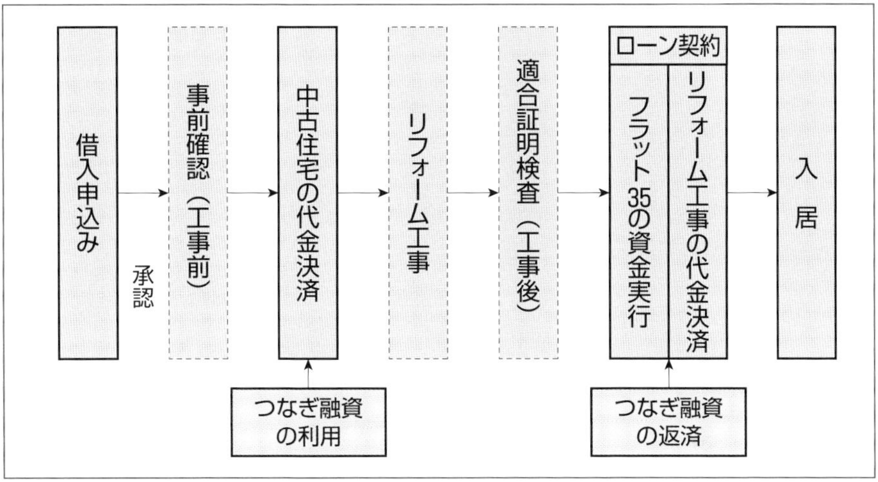

出所：住宅金融支援機構の資料をもとに著者作成
※ 太線部分＝本人（借入者）が行う手続き等。点線部分＝住宅事業者による手続き・作業。

●「フラット35（リノベ）」の金利引き下げ制度

※2020年９月末まで

工事の区分	種別と最低工事費用	金利引き下げ期間	引き下げ幅
性能向上 リフォーム等（注）	金利Ａプラン／300万円	借入当初10年間	0.5%
	金利Ｂプラン／200万円	借入当初５年間	
上記以外のリフォーム等　※性能向上なし		（金利引き下げなし）	

（注）「買取再販タイプ」に該当する中古住宅の購入も含む。
※「金利Ａプラン」と「金利Ｂプラン」の技術基準（工事後）は、「フラット35Ｓ」と概ね同じである。
※ 上表の「引き下げ」の内容は2022年９月末までのもの。10月以降は前項を参照。

●「フラット35（リノベ）」の金利引き下げ効果の例（借入金額＝1,000万円あたり）

〈前提〉返済期間＝30年、金利引き下げ幅＝0.5%

	フラット35	リノベ	金利Ａプラン		金利Ｂプラン	
適用金利と毎月返済額	1.48% 34,416円	当初５年間	0.98%	32,072円	0.98%	32,072円
		６～10年目			1.48%	34,036円
		11～30年目	1.48%	33,652円		
返済総額	1,239万円	－	－	1,193万円	－	1,214万円
比較	－	－	－	▲46万円	－	▲25万円

※ 適用金利は2022年５月の金利水準。「リノベ」による効果は2022年９月までの制度で試算。
※ ただし、「物件価額＋リフォーム工事費用」の９割超を借りると、適用金利は高くなる。

21 「ダブルフラット」という選択肢

「ダブルフラット」は、フラット35やフラット20の借入れを２本に分けて利用するプランです。片方の借入れを短めの返済期間に設定することによって、借入当初の返済額は通常より多くなりますが、１本めの返済が終われば、その後の返済額は少なくなります。

将来の教育費や老後は大丈夫？

資金計画を立てる際に、目先の返済のことは真剣に考えるでしょう。でも、もっと先のことまで考える人は少ないかもしれません。

右ページの表は、大学生の教育費に関する調査結果です。仕送り等が発生する場合、負担はさらに重くなります。さらに、受験前には塾や家庭教師の費用などで年間100万円ほどかかることもありますし、中学～高校も私立に通わせるケースでは、気が遠くなるような負担になるでしょう。

教育費に全力を注ぎすぎると、自分たちの「老後資金」の準備が間に合わなくなってしまう可能性もあります。

ローンを２本に分けて、一部は早く返す！

将来のライフイベントで必要となるお金も含めて資金計画を考えた場合、住宅ローンは早く返してしまいたいところです。しかし、返済期間を短くすれば返済額が増えますので、教育費の負担が本格化したときが心配……。

とりあえず長い返済期間で借りて、一部繰り上げ返済に励むという方法もありますが、計画倒れに終わったという声も多く聞こえてきます。

そこで検討したいのが、「フラット35」からの融資を２本に分けて借りる「ダブルフラット」という制度。右図のような組み合わせが利用できます。

この方法を教育費対策として利用するためには、子どもが生まれて間もない時期に借入れを行う必要がありますので、実際は「老後対策」での活用がメインとなるかもしれません。すなわち、60歳までとそれ以降も返す２本に分けて、定年後は残り１つの住宅ローンを返していくというプランです。

ローン契約が２本になるため、借入時の諸費用（印紙税や登記費用など）は数万円ほど増えますが、それ以上のメリットが期待できるでしょう。

●教育費のデータ

〈大学の初年度納付金平均額〉（2021年度）　（単位：万円）

	合計	入学料	授業料	施設設備費	その他
国立大学	81.8	28.2	53.6	―	―
私立大学	148.3	24.6	93.1	18.0	12.6
文科系	127.2	22.6	81.5	14.8	8.3
理科系	169.0	25.1	113.6	17.9	12.4
医科系	704.8	134.0	267.0	109.7	194.1
その他	163.2	25.4	96.9	23.6	17.3

出所：文部科学省まとめ（いずれも昼間部の金額）

●「ダブルフラット」の利用例　※2022年５月時点の金利水準による試算

【通常の返済】

【ダブルフラット】

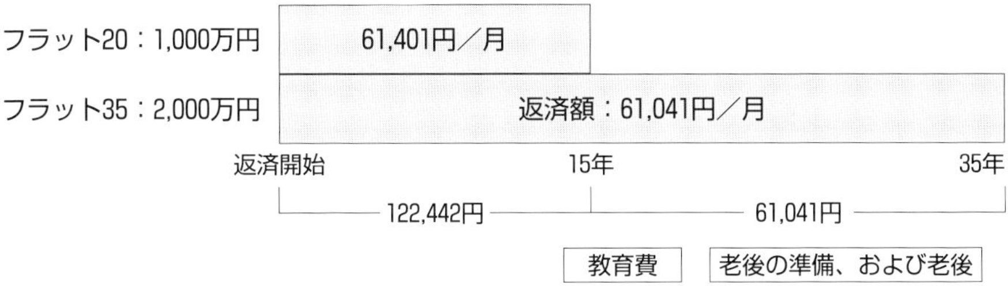

※ 2022年５月時点の金利水準による試算（フラット35＝1.48%、フラット20＝1.35%）
　→ 当初の平均金利はやや下がる（この例では1.4367%）

〈ダブルフラットで可能な組み合わせ〉　※取扱いは70機関（2022年５月現在）

プラン		組み合わせの例
①	フラット35＋フラット35	フラット35（35年返済）＋フラット35（25年返済）
②	フラット35＋フラット20	フラット35（30年返済）＋フラット20（20年返済）
③	フラット20＋フラット20	フラット20（20年返済）＋フラット20（15年返済）

22 フラットト35の留意点

金利水準の低さと固定金利の安心感を兼ね備えた「フラット35」は、長期金利が下落基調に転じると人気化する傾向があります。
融資事務手数料の負担や、適合証明書の取得が必要になる点など、押さえておくべきポイントを確認しておきましょう。

融資事務手数料の違いにも注目

フラット35は一般的な民間住宅ローンと違い、保証料の負担がありません。融資事務手数料は右ページの2種類に分かれますが、「定率タイプ」が圧倒的であり、多くの場合は「融資額×2.2%」で設定されています。

この手数料は、「+0.15%」前後の金利負担に相当すると理解しましょう。35年返済の場合、保証料（外枠方式）と同じ程度の水準です。

外枠方式（一括払い）の保証料と違い、融資事務手数料は返済期間にかかわらず同額ですし、繰り上げ返済をしても一切戻ってきません。そのため、フラット35のほうがコストが高いケースもあると理解しておきましょう。

融資金利の比較も大切ですが、融資事務手数料のタイプや手数料率も確認して、利用する住宅ローンを選ぶことが大切です。

「適合証明書」の手間とコスト

フラット35を利用するためには、取得する住宅が機構の定める技術基準を満たしていることを証明する「適合証明書」の提出が必要です。

「中古マンションらくらくフラット35」等として登録されている物件などでは省略できますが、それ以外では適合証明検査機関の検査を受け、取得することになります。住宅の新築時などには問題ないでしょうが、中古住宅の場合、物件によっては10万円以上と費用も高くなり、証明書の発行まで最大3週間ほどかかるケースもあるようです。

売り主や仲介業者としても手間がかかるため、ライバルがいる優良な物件ほど、契約してもらえない可能性もあり得ます。

民間住宅ローンと比べて、フラット35では仲介業者等との協力やスケジュール管理がより重要になるということを理解しておきましょう。

● 2 種類の融資事務手数料

定率タイプ	融資額に対して一定の割合でかかる。「融資額×2.2%」が一般的だが、1.1〜1.5%などで設定するところもある。
定額タイプ	融資額にかかわらず手数料は同じ。3.3〜5.5万円が一般的。

●借入金額1,000万円あたりの融資事務手数料と保証料（例）

（単位：円）

	融資事務手数料（手数料率）		
	1.10%	1.65%	2.20%
金額	110,000	165,000	220,000

	保証料（返済期間）			
	20年	25年	30年	35年
金額	148,340	172,540	191,370	206,110

※ 保証料は一般的な例。金融機関や保証会社、審査結果などで異なる。

→ 融資事務手数料（融資額×2.2%）と、35年返済の保証料の負担は同じ程度

●融資事務手数料の金利相当分の試算例

〈前提条件〉借入金額：3,000万円、返済期間：30年、定率タイプの手数料率：2.2%

	実質借入金額	金利	毎月返済額
手数料定率タイプ（660,000円）	3,066.0万円	1.48%	105,519円
手数料定額タイプ（33,000円）	3,003.3万円	1.629%	105,519円
差額、および金利相当	▲ 約63万円	0.149%	±0円

→「融資額×2.2%」の場合、「+0.15%」前後の金利負担に相当

●「実質金利」に修正する際の目安

住宅ローンの種類等		実質金利の目安
フラット35（手数料定率タイプ）		融資金利+0.15% ※融資事務手数料
民間住宅ローン	保証料=外枠方式	融資金利+0.15% ※外枠保証料
	保証料=内枠方式	融資金利+0.20% ※内枠保証料
	融資手数料型	融資金利+0.15% ※融資事務手数料
	〃（返済期間=25年以内）	融資金利+0.20% ※融資事務手数料
	保証料不要、手数料定額型	（≒融資金利）
財形住宅融資（機構直接融資）		（=融資金利）

（注）財形住宅融資（機構直接融資）は、保証料、事務手数料ともに無料。
機構団信特約料は、現在では融資金利に含まれている。

23 「フラット35」の併せ融資

物件価額等の9割を超えて「フラット35」を利用する場合には、全体の融資金利が通常よりも高くなってしまいます。
そのため、「フラット35」の利用は9割以下に抑え、足りない分は民間住宅ローンから借りる方法も視野に入ります。

「融資率9割超」の単独利用は要検討

フラット35の「融資率」は、「フラット35の借入金額÷所要資金（建設費または購入価額等）」から計算されます。
すでに解説したように、この割合が9割を超えるとフラット35の借入金額全体に対して、通常よりも高い金利（＋0.26％）が適用されてしまいます。
貸出しに積極的な金融機関のなかには、これより有利な長期の固定金利型ローンを取り扱っているところもありますので、全期間固定金利型はフラット35が有利と決めつけずに、いろいろと比べてみることが大切です。

「フラット35パッケージ」のタイプ

しかし、魅力的な住宅ローンというのは審査も厳しいのが現実です。どうしても長期の固定金利型で借りたい場合、職業や年収などの状況によっては、審査の基準が緩やかな「フラット35」の利用を選ばなければならないこともあるでしょう。そこで検討したいのが「フラット35パッケージ」です。
この商品は、フラット35を申し込んだ金融機関等の住宅ローンと「フラット35」を一体的に利用する方法の総称です。「すまい・るパッケージ」という統一名称や「パッケージローン」などの商品名で呼ばれています。
おもな特徴としては、①融資の申込みは2つのローンで共用される、②どちらもフラット35の基準で審査を行う、③パッケージ分の金利水準は基本的に高い、などといった点が挙げられます。
「フラット35から借りられない金額（以前の融資上限は9割だった）」を融資するために始まった制度なので、「パッケージ分」の融資上限は物件価額等の1割が原則です。担保が2番抵当となるため、取扱機関は住宅金融支援機構の「住宅融資保険」を利用します。このコストにより「パッケージ分」の融資金利は低くできません。一部の取扱機関では優遇金利の適用もありますが、この場合は融資手数料等が高額に設定されています。

フラット35を「10割融資」で利用するより有利なのかは、金利や手数料の水準等で変わってきます（170ページ参照）。

「フラット35＋併せ貸し」のタイプ

こちらはフラット35との「パッケージ（一体型）」ではなく、２つのローンを独自に併用して借りるタイプです。申込みと審査が別々に行われたり、異なる返済期間を利用できる場合もあります。

金融機関のスタンスは、

①「パッケージ」の代用として提供する

②自行のローン商品の割合を多くして併用してもらうことを狙う

という２つに分かれます。

②の場合、「併せ貸し」部分の融資金利は、単独で融資する場合の自行ローンと同じ金利優遇を適用するとともに、一定の要件を満たすことを条件に、フラット35自体の金利や手数料などを優遇する金融機関もあります。

一方、①のほうは住宅融資保険を利用せず、信販会社等に保証を委託して債権の保全を図ります。このほうが「パッケージ」よりコストが低く、融資金利が下げられる場合があるからです。

民間からの利用分を物件価額等の１割までとするのであれば、フラット35自体の条件（金融機関で異なる）も確認したうえで、「併せ貸し」の金利水準や手数料を「パッケージ型」の取扱機関や商品と比較して選びましょう。

●「パッケージ」などの金利設定例

（2022年５月現在）

	商品	併せ融資				フラット35	
	タイプ	変動金利	10年固定	事務手数料	上限	適用金利	事務手数料
りそな銀行	B	3.475%	4.60%	不要	１割	1.48%	×1.87%
	A	4.475%	5.60%	11万円	１割		
みずほ銀行	A	2.725%	3.30%	不要	１割	1.48%	×1.045%[*1]
楽天銀行	B	1.767%	－	11万円～[*2]	＊3	1.48%	11万円～[*2]
㈱アルヒ	A	3.435%	－	＊4	－	1.48%	22万円～[*4]

（注）商品タイプは、Aがパッケージ型、Bが併せ貸し。

（注）手数料のうち、「×○.○○%」は、融資金額に対する割合

※1：給与振込など一定の要件を満たした場合に適用される（1.045%～1.43%）。本来は1.87%。

※2：11万円は最低必要額。原則は「融資金額×1.1%（返済口座が楽天銀行以外の場合は1.43%）」。

※3：物件価額等に対して、１割、３割、５割のなかから選ぶ。併せ融資分の団信保険料は＋0.2%。

※4：フラット35とパッケージ分の合計額に対して「×2.2%」でかかる。22万円は最低必要額。

24 フラット35における裏ワザ

9割超の融資率でフラット35を借りると融資金利は高くなってしまいますが、ギリギリ上回る程度であれば対処法があります。

注文住宅などで融資実行日を多少変更できる場合は、翌月の金利を予想して、有利な月を選ぶこともできるでしょう。

所要資金に諸費用を含め、融資率を下げる

フラット35の借入申込書に記入する「所要資金」には、住宅の購入価額だけでなく、取得時にかかる一定の諸費用を含めることが可能です。

「融資率」はこの金額を基に計算されるため、融資率が9割を少し超えるくらいであれば、諸費用を所要資金に含めることによって9割以下に下げることができる場合もあります（右ページの上図を参照）。

現在では、融資事務手数料や登記費用（登録免許税、司法書士への報酬等）、仲介手数料など、ほとんどの諸費用を所要資金に含めることが可能ですが、請求書や領収書などの確認書類で金額を証明することが必要です。

翌月のフラット35の金利を予想して対応する

フラット35の金利は融資実行時の水準が適用されます。仮に翌月の金利が下がるとわかっていたら、今月中の実行は見送りたいでしょう。

融資の実行が月末頃で、日にちをずらしてもらえるのが前提ですが、翌月の金利を予想して有利なほうを選ぶこと自体は不可能ではありません。

右ページ下の図表は、その方法を解説したものです。

たとえば2022年5月の融資金利は前月比で「＋0.04％」となりましたが、これは図表の手順に沿って予想した数字と同じでした。

ポイントは、住宅金融支援機構のＨＰで公表される「住宅金融支援機構債券」の募集要項です。毎月後半に更新される『◯◯◯回債債券要項』等から直近の債券の利率がわかります。フラット35の翌月分の融資金利はこの水準がベースとなりますので、右ページ下の注釈の手順で『既発債一覧』の箇所に移動し、前月分の利率を確認しましょう。仮に「0.04％」上がっていたら、翌月分のフラット35の融資金利も0.04％上がる可能性が高いと予想できます。

●「所要資金」と融資率の例

〈資金計画〉
- ・購入価額：4,000万円
- ・諸費用　：　120万円
- ・自己資金：　420万円
- ・借入れの予定額
　　→　3,700万円

（例１）諸費用を含めないケース
・所要資金＝4,000万円（購入価額）
　→　融資率＝92.5%　※3,700万円÷4,000万円
（例２）諸費用を含めるケース
・所要資金＝4,120万円（購入価額＋諸費用）
　→　融資率＝89.8%　※3,700万円÷4,120万円

●フラット35の金利を予想する方法

〈フラット35の融資金利と、機構債券の利率等の推移〉

時期	① フラット35の融資金利	② 機構債券の直近の利率	③ 前月比	④ 予想金利	⑤ 実際との差
2021年12月	1.33%	0.36%（11月発行）	▲0.02%	1.31%	＋0.02%
2022年１月	1.30%	0.32%（12月発行）	▲0.04%	1.29%	＋0.01%
2022年２月	1.35%	0.40%（１月発行）	＋0.08%	1.38%	▲0.03%
2022年３月	1.43%	0.48%（２月発行）	＋0.08%	1.43%	±０
2022年４月	1.44%	0.46%（３月発行）	▲0.02%	1.41%	＋0.03%
2022年５月	1.48%	0.50%（４月発行）	＋0.04%	1.48%	±０

〈手順と計算例〉　※2022年５月の例

１、予想したい月の②を確認する　（例）2022年５月（４月発行）＝0.50%
　　→　毎月後半に、住宅金融支援機構が月末発行分をＨＰで公表
２、前月と比べて機構債券の利率がどうなったか（＝前月比）を計算する
　　→　「予想したい月の②－１つ上の行の②」
　　　　（例）0.50%－0.46%＝「＋0.04%」
３、その月の④（＝フラット35の予想金利）を計算する
　　→　「その月の上の行の①＋その月の③」
　　　　（例）1.44%＋0.04%＝「1.48%」
　〈結果〉実際との差（＝⑤）は「±０」
　　　　※「①－④」から確認できる　→予想どおり

※表中の②は、住宅金融支援機構のＨＰ（トップページ）の「ＩＲ情報」→「資産担保証券（ＭＢＳ）」→「発行計画（月次）」と進み、ページ下の「3.関連資料」の「第○○○回債債券要項」で確認。
※過去の利率は、「資産担保証券（ＭＢＳ）」→「既発債情報」→「既発債一覧」から確認できる。

25 フラット35(保証型)等も確認

フラット35には、通常のタイプ（買取型）に加えて、「保証型」の商品もあります。取扱機関は少ないのですが、融資金利を買取型よりも低く設定しているため、利用できる場合は非常に魅力的です。
「金利引継特約付きフラット35」という商品にも注目です。

「保証型」のフラット35

「フラット35（買取型）」では、住宅金融支援機構が銀行などの取扱機関から住宅ローン債権を買い取って証券化します。

一方、「フラット35（保証型）」は、取扱機関自身が証券化を行います。

機構は住宅融資保険（保証型用）を引き受けて、証券化されたローン担保証券にかかる債務の支払いを保証します。この仕組みの違いにより、保証型のほうは、融資率が低い（＝自己資金が多い）ことなどを条件に、買取型より融資金利を低くすることも可能となります。

商品性自体はほぼ同じですが、「保証型」では、①返済期間（20年以上か未満か）による融資金利に差はない、②疾病団信は取扱機関が選定した商品に加入できる、などの違いがあります。

2022（令和４）年５月１日時点では、保証型の取扱機関は、右ページの他に、日本住宅ローン㈱、広島銀行、愛媛銀行、日本モーゲージサービス㈱、㈱ファミリーライフサービス、です。融資の対象者や地域などを限定している取扱機関もありますので、まずは利用資格を確認しましょう。

金利引継特約付フラット35

長期優良住宅を対象とし、「フラット35」の返済中に売却する場合、その住宅を購入する人にフラット35の債務を引き継ぐことができるタイプです。

2018（平成30）年度から「アシューマブル・ローン」という名前で登場していましたが、2019（令和元）年度から上記の名称に変わりました。

ただし、取扱機関がまだ24機関しかありません（2022年５月１日現在）。

なお、次項の「フラット50」という商品では、このようなシステムが以前から採用されていました。69ページの解説も合わせてご確認ください。

フラット35（保証型）の商品例

●住信ＳＢＩネット銀行

（2022年５月現在）

商品名	自己資金	融資金利	比較	返済負担率
フラット35（保証型）	20%以上	1.28%	▲0.20%	買取型と同じ
	10%以上	1.41%	▲0.07%	

※融資事務手数料＝融資額×2.2%（最低11万円）、返済期間＝15～35年（80歳完済）。
※診査に通れば、「全疾病保障（団信）」が無料で附帯。「買取型」の融資金利は1.48%。

●財形住宅金融株式会社

（2022年５月現在）

商品名	自己資金	融資金利	比較	返済負担率
フラット35エース 融資手数料定率型	20%以上	1.35%	▲0.13%	買取型と同じ
	10%以上	1.43%※	▲0.05%	
〈参考〉買取型（融資率９割以下）		1.48%	※融資手数料＝融資額×1.1%	
フラット35エース 融資手数料定額型	20%以上	1.45%	▲0.13%	買取型と同じ
	10%以上	1.53%※	▲0.05%	
〈参考〉買取型（融資率９割以下）		1.58%	※融資手数料＝22,000円	

※同社の「財形住宅融資（転貸融資）」を500万円以上併用する場合、融資事務手数料は、定率型＝「融資額×0.88%」、定額型＝無料、となる。

●アルヒ株式会社

「ARUHIスーパーフラット」

商品名	自己資金	融資金利
ARUHIスーパーフラット５(注)	50%以上	1.27%
〃　６	40%以上	1.31%
〃　6.5	35%以上	1.32%
〃　７	30%以上	1.33%
〃　7.5	25%以上	1.34%
〃　８	20%以上	1.35%
〃　8.5	15%以上	1.40%
〃　９	10%以上	1.43%

●クレディセゾン

（2022年５月現在）

「セゾンのフラット35（保証型）」

商品名	自己資金	融資金利
プラン６	40%以上	1.28%
〃　6.5	35%以上	1.30%
〃　７	30%以上	1.33%
〃　7.5	25%以上	1.35%
〃　８	20%以上	1.38%
〃　8.5	15%以上	1.40%
〃　９	10%以上	1.43%

※両社とも、融資事務手数料＝融資額×2.2%（最低22万円）、返済期間＝15～35年（80歳完済）。
※両社とも、返済負担率＝自己資金20%未満のタイプは年収の20%以内、他は「買取型」と同じ。
（注）「ARUHI スーパーフラット５」を利用する場合のみ、全疾病保障団信（入院一時金付）への加入が必須となり、上乗せ金利または特約料が発生する。

26 最長50年返済の「フラット50」

「フラット35」の兄弟分として、2009（平成21）年の経済対策をきっかけに登場した住宅ローンが「フラット50」です。
　文字通り、返済期間が最長50年と長期にわたるのが最大の特徴ですが、利用にあたっては商品性を十分に理解することが大切です。

長期優良住宅が対象

長期優良住宅の取得時に、最長50年返済で利用できるのが「フラット50」という住宅ローンです。2022（令和４）年５月時点では、住宅金融支援機構のＨＰによると、全国で78の金融機関などが取り扱っています。

商品の概要は右ページの表の通りです。返済終了時の年齢が80歳までとなっていますので、親が借りて子ども等が返済を引き継ぐ「親子リレー返済」を利用する場合を除くと、44歳以下の人しか借りられません。また、最長返済期間である50年返済が利用できるのも、30歳未満（80歳－50年）の場合に限定されることになります。

融資金利は、超長期金利の水準をベースに取扱機関が設定します。

長期優良住宅が融資対象なので「フラット35Ｓ（金利Ａプラン）」の適用も受けられ、借入当初10年間は融資金利が0.25%引き下げられます。

2019（令和元）年10月以降、融資率の上限（購入価額等の６割→９割）と、融資限度額（6,000万円→8,000万円）がともに引き上げられたため、利用しやすくなりました。とはいえ、対象となる住宅自体が限定される点や、デフレが続く昨今の状況下では、利用者は少ないと言えるでしょう。

インフレが起これば有利だが…

「フラット50」の最大の留意点は、返済期間の長さゆえ、将来的なローン残高の減り方が非常に緩やかだという点です（右ページ下を参照）。

そのため頭金が少ないケースでは、将来的に売却する際に、ローン残高が売却代金を上回る危険性もあることは認識しておくべきでしょう。

では、このローンを利用するメリットがあるとしたら、それは何でしょうか。答えは、将来的にインフレとなった場合には、貨幣価値の下落によってローン残高や返済額の実質的な負担が減る、という点です。

また、すべての「フラット50」は、従来から「金利引継特約」（＝将来、住宅を売却するときに、購入者が希望すればローン債務が引き継げる特約）がついていますので、金利上昇が起きた場合は低金利ローンのついた魅力的な物件として人気が出るかもしれません。

ただし、その際にはもちろん機構による審査もありますし、繰上げ返済や借入れから長期間が過ぎたことでローン残高が減っているとメリットも低下します。融資を引き継ぐだけでは購入資金が足りない可能性もあるでしょう。住宅金融支援機構によれば、このような場合は新規で借りる「フラット35」との併用もできるということです。

●「フラット50」の商品概要

融資対象	長期優良住宅など（長期優良住宅認定通知書等の提出が必要）。中古住宅も要件を満たせば可
返済期間	36年以上50年以下（「80歳－現在の年齢」が上限※1）
利用者の年齢要件	満44歳以下※1
融資限度額	8,000万円（購入価額等の9割以内）（注）
フラット35との併用	可能（合計で購入価額等の10割まで融資可）※2
金利水準	「フラット35」より高い　※昨今では＋0.5%前後
金利優遇	「フラット35S（金利Aプラン）」の適用対象であるため、同じ優遇措置（当初10年間は▲0.25%）が受けられる
借り換え	利用できない
その他	上記以外は、おおむね「フラット35S」と同じ

※1　親子リレー返済を利用する場合を除く
※2　「フラット35」＋「フラット50」の融資率が9割を超えると、全体の適用金利が高くなる

●「フラット50」のローン残高の推移例（借入金額：1,000万円の場合）

	5年後	10年後	15年後	20年後	30年後	40年後
ローン残高	934万円	863万円	788万円	706万円	516万円	283万円
適用金利の例	1.73%		1.98%			

※2022年5月の融資実行で、「フラット35S」（金利Aプラン）の適用を受けた場合の例
※金利は2022年5月の最低水準。この例では、50年間の返済総額は約1,548万円となる。

Column

フラット35の審査は同じ？

少し古いデータですが、フラット35の取扱い金額のシェアは、全体の3分の2をモーゲージバンクが占めていました。これは、金利水準の低さもさることながら、「取扱機関による審査基準が緩く、借りやすい」という噂の影響も大きかったのではないかと思われます。

彼らのビジネスモデルは、住宅ローンを貸し付けて「利ざや」を稼ぐ銀行などの金融機関とはまったく異なり、融資の案件を取り扱うことで「融資事務手数料」を得るという手数料ビジネスにあります。

フラット35から5,000万円を借りるお客さんがいた場合、失礼な言い方をすると、1件の手続きを行うだけで100万円（融資額×2％、税別）の融資事務手数料が入る（しかも、貸し付けたローン債権はすぐに住宅金融支援機構に売却するため、貸し倒れのリスクもない）わけですから、とにかく金利を低くして多くの人に借りてもらおうとするのです。

まあ、そのおかげもあって、フラット35の融資金利は低水準で推移し、対抗上、民間の住宅ローン金利も下がってくれたわけですが……。

さて、ここからが本題。民間住宅ローンでは、事前審査（仮審査）と、本審査（正式審査）という2回の審査が行われます。一般論ではありますが、事前審査に通れば、基本的には大丈夫でしょう。

一方、フラット35の審査も2度ありますが、意味合いは異なります。最初に取扱機関が行い、承認された場合に住宅金融支援機構による審査が行われるからです。仮に取扱機関の審査（事前審査）が緩く、融資が承認されたとしても、機構の厳格な審査の結果、正式審査で不承認となる可能性は少なくないのです。

仮にインターネットの口コミで「審査が緩い（融資に通りやすい）」と噂されている取扱機関があったとしても、それは事前審査に限ったお話です。最終的には機構が行う正式審査に通らなければなりませんので、どこで申し込んでも同じはず。民間住宅ローンと違い、「フラット35」には「診査に通りやすい取扱機関はない」と考えておきましょう。

SECTION

4

民間住宅ローンを利用する

27 民間住宅ローンは玉石混淆

銀行や信用金庫、労働金庫、ＪＡ、保険会社、モーゲージバンクなどが取り扱う住宅ローンは、「民間住宅ローン」と総称されます。

現在では、金利低下や商品性の多様化などによって、魅力のある商品が数多く登場し、住宅ローンの主役となっています。

提携ローンと非提携ローン

民間住宅ローンを知る上で大切となる、「提携ローン」と「非提携ローン」について、まずは確認しておきましょう。

不動産業者や優良企業など、住宅ローンで提携関係を結んだ企業が顧客や社員を紹介する、というルートでの申込みが「提携ローン」。竿で魚を釣るよりも、漁船の大きな網でさらったほうがたくさん獲れるのと同じ理屈で、金融機関としてはコストを抑えながら、多くの顧客が獲得できます。

その見返りとして、金利を少し下げたり、審査を緩やかにするなどの優遇措置を設けるケースもあり、これが提携ローンの魅力のひとつとなります。

しかし、昨今では、業者提携ローンの金利優遇はあっても微々たるものですので、多少の手間はかかりますが、魅力的なところに自分で申し込んだほうがよい場合も多いでしょう。何より、業者提携ローンを利用した場合に多く見られる、「ローン手数料」の類を取られることもありません。右ページで、この２つの申込みルートのメリットとデメリットを確認しておきましょう。

保証料型や融資手数料型など

全体の金利水準が低い現在では、金利タイプが同じなら、少し金利が高い金融機関を利用してもダメージは限られます。しかし、地域によっては0.5%以上も違いますので、トータルでは大きな差となります（右表参照）。

とくに注目したいのが、商品性の多様化が一気に進んだ点でしょう。

従来からの「保証料型」だけでなく、保証料が原則不要な「融資手数料型」や、「Web申込み専用住宅ローン」の取扱いを始める金融機関も増えており、融資金利の設定もそれぞれのタイプごとに異なります（右表参照）。

民間住宅ローンを取り巻く状況には、激変の兆しが見えてきました。

●申込みルートによる住宅ローンの分類

- 住宅ローン
  - 非提携ローン：自分で自由に申し込む
  - 提携ローン
    - 業者提携ローン：申込み窓口は不動産業者
    - 企業提携ローン：申込み窓口は勤務先

●ルート別のメリットとデメリット

ルート		おもなメリット	おもなデメリット
提携ローン	業者提携ローン	・申込み手続きを代行してくれる ・金利優遇や融資事務手数料の優遇措置が受けられる場合もある ・審査基準が緩くなることがある ・ギリギリの場合の交渉も期待できる	・35年返済での提案がほとんど ・変動金利型での提案が圧倒的 ・「ローン手数料」（10万円前後）などの費用を取る業者もいる ・条件が有利でない金融機関もある
	企業提携ローン	・金利優遇や利子補給などによって、適用金利が低くなる場合がある ・当初の申込みは勤務先を通して行うため、窓口には行かずにすむ ・審査基準がかなり緩い場合もある	・ほとんどの場合、資金計画に対するアドバイスは期待できない
非提携ローン		・要件を満たす申込先やローン商品が自由に選べる ・自身での真剣な資金計画につながる	・申込み手続きに時間と手間がかかる ・積極的な行動と勉強や経験が必要 ・審査面での有利性はない

●民間住宅ローンの比較例（変動金利型）

	融資金利	毎月返済	ボーナス返済	年間合計	返済総額
A銀行	0.475%	71,542円	107,412円	107.3万円	3,220万円
B銀行	0.975%	76,918円	115,578円	115.4万円	3,463万円

※借入金額：3,000万円（毎月返済分：2,400万円、ボーナス分：600万円）、返済期間：30年
※返済総額は、いずれも将来的な金利が変わらなかった場合の金額

●保証料型、融資手数料型、ネット住宅ローンの金利設定例（2022年５月現在）

	基準金利	住宅ローン（店頭）		ネット住宅ローン	
		保証料型	融資手数料型	保証料型	融資手数料型
変動金利型	2.475%	0.625%	0.575%	0.525%	0.375%

※みずほ銀行の例。融資手数料型は保証料不要だが、取扱手数料（融資額×2.2%＋3.3万円）が必要。

SECTION 4

28 融資条件の確認

昨今の民間住宅ローンでは、「年間返済額が年収の35%以下」などといった、明確な収入基準が設けられていない場合も多くなっています。取得する物件に対する制限は少ないのですが、収入面での審査の基準は、金融機関によってはかなり厳しい場合もあります。

安定した収入が見込まれる人とは？

住宅ローンを借りる際には、住宅ローンの「保証」を行う保証会社または金融機関の審査に通る必要があります。

まず、「利用できる人」に対する条件は、年齢に加えて、「安定した収入」があることが必要です。金融機関や商品によっては、年収400万円以上などというような、年収の最低ラインを設けている場合もあります。

給与所得者の場合は、基本的に「正社員」であることが必要です。パート勤務者や一定期間だけの雇用者の場合は、収入合算者になれることはあっても、本人が借りられる住宅ローン商品は少ないのが現実です。

また、多くの場合、給与所得者は勤続年数が1年以上、自営業者は事業開始後の期間が3年以上などの制限もあり、ローン商品や金融機関によっては、この基準が厳しくなっている場合もあります。

さらに、民間住宅ローンでは「団体信用生命保険（団信）」に加入できることが融資の条件とされています。健康状態が優れず、団信に入れない人は、引受緩和型の「ワイド団信」を取り扱う金融機関で申し込みましょう。

物件に対する要件はわずか

一方、取得する「物件」に対する要件は非常に緩やかです。床面積などに関する基準も、フラット35や財形住宅融資より狭くなっており、中古物件の築年数についても、基準さえ満たしていれば制限はないのが一般的です。

ただし、戸建ての場合は、建築後の増改築などによって建ペイ率や容積率を超えた物件となっている場合がありますので、注意が必要です。

このような「法令に違反した物件」は、原則として住宅ローンが借りられません。取得の際には、仲介業者を通じてしっかり確認しておきましょう。

●住宅ローンの商品概要説明書の例

1．商品名	○○銀行住宅ローン
2．ご利用いただける方	以下のすべての条件を満たす個人のお客さま ・満20歳以上71歳未満で、最終ご返済時の年齢が満81歳未満の方 ・当行が契約する生命保険会社の団体信用生命保険に加入が認められる方 ・安定した収入のある方 ・保証会社の保証を受けられる方 ・原則、日本国籍の方または永住許可等を受けている外国人の方
3．資金使途	(1) 本人居住用の土地・住宅の購入、住宅の新築・増築・改装、底地の買取資金　※賃貸の目的にはご利用できません。 (2) 火災保険料、保証会社手数料・保証料、仲介手数料、担保関連費用、印紙税、引越費用、修繕積立金、付帯工事費用、管理準備金、水道加入金
4．お借入金額	100万円以上１億円以内（１万円単位）
5．お借入期間	１年以上35年以内（１年単位） ※固定金利選択方式は２年以上35年以内 ※全期間固定金利方式は11年以上35年以内
8．返済方法	毎月元利均等返済 お借入金額の50%までボーナス月増額返済もできます。 １年以内の元金返済据置もできます。
10．保証人・保証料等	(1) 保証会社の保証をおつけいただきますので、原則として、別途保証人は必要ありません。 (2) 保証料（以下の２種類のお支払方式からいずれかをお選びいただけます）および事務手数料（33,000円）を保証会社にお支払いいただきます。なお、保証会社の審査結果により、保証会社へお支払いいただく保証料が異なる場合があります。 （中略）
11．担保	保証会社がご融資対象となる土地および建物に、原則として第一順位の抵当権を設定登記させていただきます。 担保設定に要する費用は、お客さまにご負担いただきます。
12．団体信用生命保険	団体信用生命保険にご加入いただきます（保険料は当行が負担いたします）。
13．火災保険	当行および保証会社の審査結果により、建物に火災保険をおかけいただき、その保険金請求権などに質権を設定させていただくことがあります。

※民間住宅ローンでは、「年収の35%以内」などといった明確な収入基準を設けず、保証会社が総合的に判断するケースが増えています。

SECTION 4

29 どのようなときに利用するか

民間の住宅ローンを利用する場面は、大きく分けて２つあります。自己資金が１割未満の場合などに「フラット35」と併用して借りるケースと、フラット35の融資条件に合わなかったり、民間ローンのほうが有利、または魅力的だと考える場合です。

「フラット35」と併用するケース

借入金額が物件価額等の９割を超える場合は、「フラット35」の適用金利が0.26％高くなりますので、フラット35の利用を９割以下に抑え、民間住宅ローンと併用して借りる方法が視野に入ります。

ただし、民間ローンの利用をフラット35の補完と考えて物件価額等の１割以内に抑えるか、それ以上の割合で利用するかによって、選ぶべき取扱機関は変わってきます。前者の併せ融資は、金利水準などの点で通常の住宅ローンとは違う商品だと理解しましょう（62ページ参照）。

一方、後者のほうは、全期間固定金利型のフラット35と、民間の変動金利型や固定金利選択型を併用することで、異なる金利タイプのローンを組み合わせる効果も出てきます。

ただし、積極的に対応しているのは一部の地方銀行やモーゲージバンクなどが中心ですので、まずは利用できるかを確認する必要があります。

なかには、千葉銀行や京葉銀行などのように、自行の住宅ローンの割合を全体の５割以上にして、フラット35と併用する場合には、融資事務手数料＝33,000円（定額型）、かつ融資金利＝各月の最低金利水準、といった魅力的な条件でフラット35が利用できるなどの金融機関も存在します。

民間住宅ローンを単独で借りる場合

民間ローンのみを借りる場面としては、次のようなケースが考えられます。

①「フラット35」が利用できない物件を取得する

②「フラット35」だと、資金決済の関係上、時間的に間に合わない

③「フラット35」と併用するより、民間単独のほうが有利と思われる

④「フラット35」よりも民間単独のほうが有利、または魅力的な場合、など

融資率が9割超の場合、フラット35の実質金利は「融資金利＋0.4％」強となりますので、これより条件のよい金融機関はかなり増えます。

また、9割以下の融資率である場合も、以下の条件に合致していれば民間住宅ローンのほうが魅力的、または有利になる可能性が高いと言えそうです。

なお、返済期間（または退職金等で一括返済するまでの期間）が20年以内の場合、下記の条件より若干劣る「10年固定」や「変動金利型」であっても、結果的に民間住宅ローンのほうが正解となる可能性は高くなります。

●民間住宅ローンが有利な（あるいはその可能性が高い）例

金利タイプ	選択する際のポイント
全期間固定金利型	「フラット35」、または「フラット20」より低い融資金利が設定されている
段階金利型	融資金利が以下の条件に合致する ・当初10年間の金利＝1.1％程度以下 ・11年目以降の金利＝1.8％程度以下
固定金利選択型	「10年固定」で、融資金利が1.0％程度以下 ※固定金利期間の終了後に変動金利に移行する際にも、1.7％前後以上の金利優遇が受けられるのが前提 ※返済期間（繰上げ返済も考慮した、実質的な期間）が30年以上となる場合は、フラット35が無難 「15～20年固定」は融資金利が1.2％程度以下、「25～30年固定」は同1.3～1.4％程度以下、の条件を満たす
変動金利型	当初の融資金利が0.7％前後以下で、返済終了まで現在と同じ「金利優遇」が続く ※返済期間（繰上げ返済も考慮した、実質的な期間）が30年以上となる場合は、「フラット35」のほうが無難

※上記の条件を満たした金利タイプを組み合わせて借りる「金利ミックスプラン」が利用できる場合、住宅ローンにおけるポートフォリオ効果も期待できます。

30 民間固定金利型ローンの動向

民間の固定金利型ローンの金利タイプは、「全期間固定金利型」と「段階金利型」に大別されます。昨今では、「フラット35」と同等か、それ以上に条件のよい金融機関も増えています。
まずは、全期間固定金利型から見ていきましょう。

「フラット35」より有利な金融機関も

全期間の固定金利型で住宅ローンを借りたい場合、「フラット35」の利用が真っ先に頭に浮かぶでしょう。確かに、一般的な民間住宅ローンと比べると金利水準は低いですし、借りやすさという点でも魅力的です。

しかし、ほとんどのフラット35では、60ページで解説した「定率タイプの融資事務手数料の負担」が発生します。保証料が不要でコストが安いとうたっていますが、この手数料負担も念頭に置いたうえで、民間の「全期間固定金利型ローン」と比較しなければなりません。

とはいえ、フラット35の団信特約料が融資金利に含まれた現在、どちらを利用すべきかの判断は非常にシンプルになりました。

「表示されている融資金利が低いほうを選べばよい」というのが答えです。

住宅ローンの諸費用を無視したこの比較法は、以前は絶対に避けるべきものでしたが、現在はこれで大丈夫。右ページ上の表（フラット35と民間固定金利型ローンの比較例）を見れば、その理由がわかるでしょう。

注目したいのは、表の中の「小計」の欄です。

現在では、フラット35の融資事務手数料（一般的には「融資額×2.2%」）と、民間住宅ローンで原則として必要になる保証料などの負担総額（一括で支払う「外枠方式」の場合）は、ほぼ同じ水準。したがって、住宅ローンの返済総額に影響をもたらす「融資金利」どうしで比べても問題はないのです。

民間金融機関のなかには、全期間固定金利型の住宅ローンに力を入れていて、非常に魅力的な条件が提示されている場合もあります。

右ページ下に、2022年５月時点でフラット35より有利な「全期間固定金利型」を取り扱う金融機関を例示しておきました。全国的にはまだまだありますし、「フラット35Ｓ」より有利となるケースも見られます。

●フラット35と民間固定金利型ローンの比較例

〈前提〉借入金額：4,000万円、返済期間：30年　(2022年5月の金利水準による比較)

	フラット35	民間ローン
適用金利	1.48%	1.49%
毎月返済額	137,664円	137,856円
返済総額	4,956万円	4,963万円
融資事務手数料	88万円	3万円
保証料	0円	77万円
小計	88万円	80万円
TOTAL	5,044万円	5,043万円

※保証料は一般的な例。金融機関や審査結果によって異なり、返済期間が短いほど少なくなる。
※上記の例（30年返済）では、民間ローン（保証料型）の金利が0.01%高い場合、総額はほぼ同じとなる。

●条件のよい「民間全期間固定金利型ローン」の例

(2022年5月1日現在)

金融機関	返済期間	金利	保証料	備考
三菱ＵＦＪ銀行	21年～25年以内	1.25%	不要	「スマート手続き」を利用した場合の最優遇金利。融資手数料は「融資額×2.2%」
	26年～30年以内	1.30%		
	31年～35年以内	1.35%		
みずほ銀行	21年～25年以内	1.32%	要	「ネット住宅ローン（手数料型）」の最優遇金利。融資手数料は、「融資額×2.2%＋33,000円」
	26年～30年以内	1.36%		
	31年～35年以内	1.39%		
りそな銀行	21年～25年以内	1.095%	不要	「手数料型」の最優遇金利。「融資額×2.2%＋33,000円」
	26年～35年以内	1.195%		
新生銀行	21年～25年以内	1.25%	不要	融資手数料は5.5～16.5万円
	26年～35年以内	1.35%		
JAあいち豊田	最長40年	1.20%	要	融資手数料は11,000円
ＪＡ兵庫西	最長35年	0.90%	要	融資手数料は38,500円
十六銀行	最長35年	1.29%	要	融資手数料は55,000円
京都中央信金	最長35年	1.20%※	要	融資手数料は55,000円
池田泉州銀行	最長40年	1.05%	不要	「融資額×2.2%＋55,000円」
みなと銀行	最長35年	1.20%※	不要	「融資額×2.2%＋33,000円」
紀陽銀行	最長35年	0.85%	不要	「融資額×2.2%＋55,000円」
百十四銀行	最長35年	0.92%	（込）	「融資額×2.2%＋55,000円」

※「ガン団信」が上乗せ金利なしで付帯。

31 「段階金利型ローン」にも注目!

地域によっては、全期間固定金利型ではなく「段階金利型ローン」の推進に力を入れる金融機関もあります。なかには「フラット35Ｓ」より有利なケースもありますので、自分が利用する地域や金融機関でも取り扱っていないかを確認してみましょう。

●「段階金利型」のしくみ

固定金利型ローンの一種である「段階金利型」は、かつての住宅金融公庫融資で採用されていた方式です。当初の一定期間（一般的には10年）よりも、その後の適用金利が高く設定されていますが、約束された金利が将来にわたって適用されますので、金利上昇の「リスク」はありません。

ただし、取り扱うところは限られています。７～８年前までは、右ページの表以外にも、北海道や北関東、瀬戸内海西部地域などで、当時の金利水準から見て「フラット35」より魅力的な条件となっているケースがかなりありました。しかし、ここまで金利が低下した現在では、商品は残しているものの、金利水準は当時と変えていない（＝いまでは魅力が乏しくなった）金融機関や、取り扱い自体をやめたところも多く見られます。

●「フラット35Ｓ」より、有利な条件設定もある

右ページの金融機関の段階金利型ローンは、「フラット35」よりも有利な金利設定となっています（2022年５月現在）。

各種の金利引き下げ制度が適用されれば、「フラット35」も当初一定期間の金利が下がり、段階金利型と同じタイプの金利設定になります。

しかし、「フラット35Ｓ」（金利Ａプラン）と比べても返済総額は少ないのです（筑波銀行〈つくば11〉のみ、34年以上の返済期間で利用すると不利）。

なお、伊予銀行の商品は2022（令和４）年９月末までの取り扱いですが、過去数年間ずっと延長されてきました。愛媛県では、金利水準が極めて低い「フラット35（保証型）」を愛媛銀行が取り扱っていますので、対抗上、今後も継続するのではと考えます。この影響により、愛媛県下では、ＪＡ（農協）なども魅力的な段階金利型ローンを取り扱っています。

●条件のよい「段階金利型ローン」の例

（2022年５月１日現在）

金融機関		適用金利		備　考
		当初10年	11年目～	
伊予銀行		0.84%	1.18%	Ａプラン：手数料は「融資額×1.1%」
		0.77%	1.11%	Ｂプラン：手数料は「融資額×2.2%」
山陰合同銀行		0.90%	1.70%	返済負担率が25%以内等は保証料無料
ＪＡ	つくば市	1.00%	1.65%	エリアは茨城県つくば市（一部を除く）
	あいち豊田	0.595%	1.30%	三大疾病保障付団信込
	おちいまばり	0.78%	1.12%	融資手数料は「融資額×2.2%＋3.3万円」

金融機関	当初11年	12年目～	備　考
筑波銀行（注）	0.80%	2.00%	名称は、「段階固定金利型（つくば11）」
	1.40%	0.90%	名称は、「逆段階固定金利型（つくばアトラク）」

※保証料率はおおむね「＋0.15～0.2%」の水準。JAは、外枠方式（一括払い）が原則のところもある。
※適用金利はいずれも最優遇金利（ただし、エコ住宅等に対する優遇は除外）。
※JA（農協）については、P.125も参照。
（注）敷地面積が60㎡未満の戸建ては利用できない。

●「フラット35S」と段階金利型ローンの、トータル・コストでの比較例

〈前提〉借入金額：3,000万円、返済期間：35年

（2022年５月１日現在）

	フラット35S（金利Ａプラン）		伊予銀行	
	当初10年間	11年目以降	当初10年間	11年目以降
適用金利	1.23%	1.48%	0.84%	1.18%
毎月返済額	87,939円	90,577円	82,467円	85,903円
返済額の期間合計	1,055万円	2,717万円	990万円	2,577万円
返済総額	3,773万円		3,567万円	
融資事務手数料	66万円		33万円	
保証料（外枠方式）	0円		62万円	
返済額等の総額	3,839万円		3,662万円	

※伊予銀行の段階金利型は「Ａプラン」（段階金利利用料＝融資額×1.1%）を利用した場合のもの。
※伊予銀行の保証料（外枠方式）の額はＨＰに記載がないため、一般的な保証料の額で試算。実際の額とは異なる可能性がある。

SECTION 4

32 民間変動金利型ローンの概要

民間住宅ローンの主力商品は「変動金利型ローン」で、大手銀行などでは利用者が最も多いということです。昨今では「ゼロ%台」の優遇金利が適用される地域がほとんどですが、金利変動などのしくみを把握したうえで利用することが必要です。

短期プライムレートに連動するタイプが中心

住宅ローンの金利タイプのうち、一定期間ごとに適用金利が見直されるのが「変動金利型」です。基準となる金利の種類でさらにいくつかのタイプに分かれますが、現在では短期金利に連動する商品が中心です。

この場合、日銀の政策金利（現在、金利の誘導目標はないが、基準値は改定前の無担保コール翌日物金利）に各金融機関が一定の利ざやを上乗せした「短期プライムレート（短プラ）」と連動して「基準金利（店頭表示金利）」が見直されます。また、優遇金利についても、新規の貸出しに対する優遇条件が変更されない限りは、同じしくみで適用される水準が変わります。

原則として、3月1日時点の「短期プライムレート連動長期貸出金利」をもとに4月1日～9月30日までの新規貸出向けの基準金利が決まり、同様に9月1日時点の金利をもとに10月1日～翌年3月31日の基準金利が決まります（ネット銀行などでは異なります）。この間に短プラがおおむね0.5%以上の変動幅で見直された場合は、新規貸出向けの基準金利も見直されます。

一方、借入後の適用金利は、年2回、見直しが行われるのが一般的です。具体的には、年の前半と後半に分けて適用金利が設定され、

①前年の10月1日時点の「短プラ連動長期貸出金利」をもとに、1月～6月分（正確には、前年12月の返済日の翌日～6月の返済日まで）の基準金利などが決まる

②4月1日時点の「短プラ連動長期貸出金利」をもとに、7月～12月分（正確には、6月の返済日の翌日～12月の返済日まで）の金利が決まる。

というルールです（一部のネット銀行などでは若干異なります）。

変動金利型は半年ごとに金利が見直される、とよくいわれますが、実際は借りてから半年ごとに変わるのではなく、年の前半と後半に分けて見直し後

の金利が設定されるという点を理解しておきましょう。

なお、変動金利型には１年ごとに金利が見直されるタイプや、長期金利に連動するタイプ、適用金利に上限がついた「上限金利付変動金利型（＝キャップローン）」などもありますが、現在はほとんど利用されていません。

●変動金利型ローン等の金利推移

（1995年1月～2022年5月）

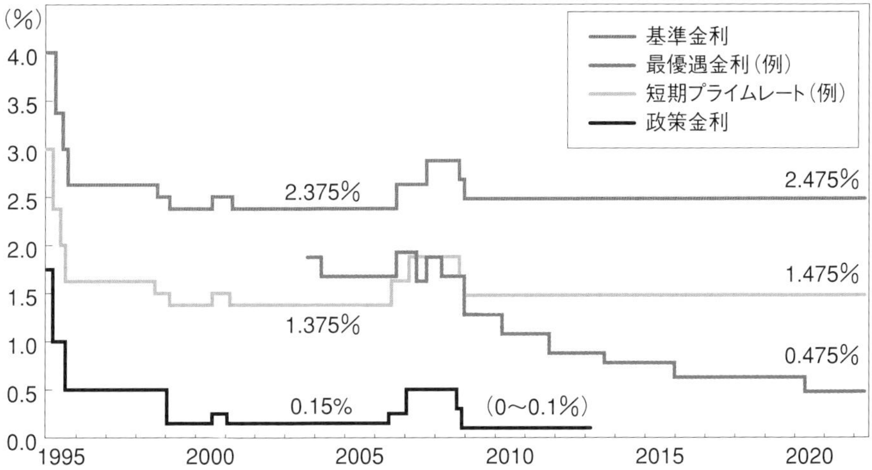

※ローン金利（基準金利および最優遇金利）は、大手銀行の例　※短プラは金融機関で異なる
※政策金利は、無担保コール翌日物レートの基準値（1999年８月までは旧公定歩合）

●民間変動金利型ローンの金利設定例

金利設定		備　考
基準金利	優遇金利	
2.475%	0.4%前後	公表されているなかでの最低金利水準。
	0.625%	「保証料型」での一般的な最低水準。
	0.775%	九州や東北地区の金融機関で多く見られる水準。
2.6%～2.875%	0.875%～1.275%	地方の金融機関で採用されている水準。地域によっては最も低い水準となっている場合もある。ただし、金利優遇を行わない金融機関もある。
3.0%～	1.275%～	一部の地方銀行や信用組合などで見られる。金利優遇を行わない金融機関もある。

SECTION 4

33 返済額の見直しルール

変動金利型ローンでは年に２回、適用金利の見直しが行われますが、一般的なタイプでは適用金利が変わってもすぐに返済額は見直されません。返済額の見直しは５年単位で行われますので、この間に金利が変動しても当面の返済額は変わらないということです。

返済額は、５年単位で再計算

一部のネット銀行などで採用されているタイプを除き、一般的な変動金利型では、適用金利が変わるたびに返済額も変わるわけではありません。返済額の見直しは５年単位で行われますので、この間に金利の見直しがあっても、当面の返済額は変わらないというルールが採用されているのです。

ただし、最初の見直しは、借りてから丸５年経った直後（61回目）に行われるのではなく、「返済開始後に10月１日を５回経過したあとで見直される」という方式を採用している金融機関がほとんどです。この方式が採用されている場合は、融資の実行が12月（返済開始は翌年１月から）であれば、ちょうど５年後の１月から返済額が変わる可能性がありますが、融資実行日がその他の月だと、52回目～63回目の返済月に見直しが行われることになります（ボーナス併用払いのボーナス返済部分もこれに準じます）。

この間に適用金利の見直しがあった場合は、返済額のうち元金部分と利息部分が調整されます。適用金利が下がれば利息が少なくなり、その分、元金部分の返済が増え、ローン残高は当初の予定より早く減っていきます。

反対に、適用金利が上がると利息が多くなり（＝元金部分が少なくなり）、ローン残高は当初の予定よりも減らなくなります。

６年目（正確には52回目～63回目）以降の返済額は、「その直前のローン残高、そのときの適用金利、残りの返済回数」から再計算されます。この間に適用金利の見直しがなければ、返済額は変わりません（端数処理の関係上、若干変わることはあります）。一方、見直しがあった場合は、返済額も変わってきます。ただし、６年目以降の返済額には「125％ルール」などと呼ばれる規定が設けられていて、どんなに増える場合でも、直前の返済額と比べて1.25倍が次の５年間の返済額の上限となります。

●変動金利型のしくみ（イメージ）

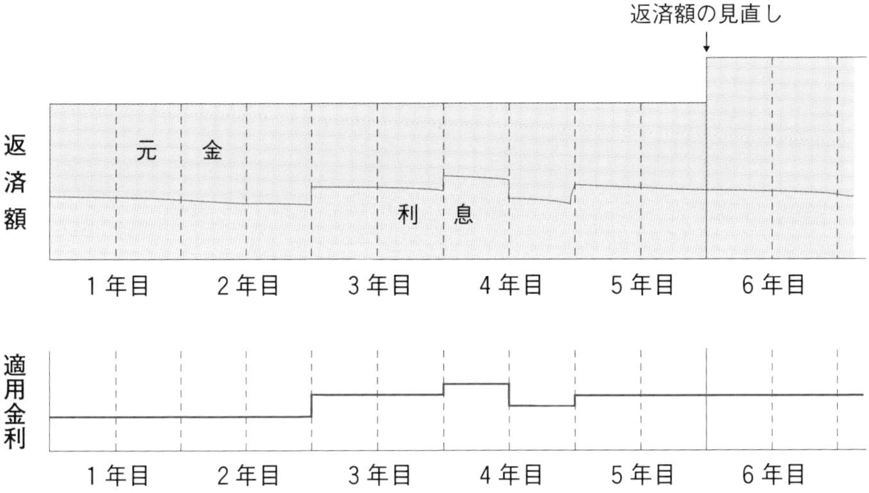

●金利が上昇した場合の返済額等の見直し例

〈前提〉借入金額：3,500万円、返済期間：30年（単位：円）　※保証料込

回	返済額	利息	元金	ローン残高	適用金利
1	109,782	24,062	85,720	34,914,280	0.825%
24	109,782	22,696	87,086	32,926,373	0.825%
25	109,782	36,356	73,426	32,852,947	1.325%
36	109,782	35,459	74,323	32,039,887	1.325%
37	109,782	48,727	61,055	31,978,832	1.825%
48	109,782	47,698	62,084	31,301,067	1.825%
49	109,782	60,645	49,137	31,251,930	2.325%
60	109,782	59,588	50,194	30,705,102	2.325%
61	137,227	72,284	64,943	30,640,159	2.825%
121	158,302	84,549	73,753	26,451,445	3.825%

※6年目以降の本来の返済額は142,827円だが、125%ルールで137,227円（109,782円×1.25）となる。
※11年目以降はこの影響を受け、6年目以降に金利上昇がなくても返済額が増える。

〈参考〉6年目以降の返済額

①5年後のローン残高（30,705,102円）、②6年目以降の適用金利（2.825%）、③残り返済期間（25年）、の3つの条件から再計算する

※上記の金額が、直前の返済額の1.25倍を上回る場合は、1.25倍の金額となる

34 変動金利型の金利上昇リスク

昨今の住宅ローンで最も人気の高い金利タイプは「変動金利型」です。三大都市圏の金融機関やネット銀行等では、0.5%前後の金利水準が一般化しましたが、将来的に金利が上がった場合のリスクも念頭に置いたうえで判断する必要があるでしょう。

金利上昇リスクを試算すると…

変動金利型の金利上昇リスクを数字でイメージするために、まずは右ページの上図をご覧ください。金利は執筆時点の一般的な水準で設定しています。

上図は35年返済での試算例で、変動金利型の＜ケース１＞は６年目と11年目に0.5%ずつ金利が上がる前提です。11年目以降は当初と比べて適用金利が１%高くなっていますが、それでも全期間固定金利型より多少高い程度ですので、これくらいの金利上昇は問題ないと判断できるでしょう。

一方、＜ケース２＞では11年目以降の金利上昇幅を１%にしたため、35年間の返済総額は全期間固定金利型を上回ります。

しかし、金利上昇は物価上昇（＝貨幣価値の下落）を伴いますので、この試算でも懸念する必要はなさそうです。あとは将来的な返済額の増加が問題ないかを確認しましょう。

ご参考までに、＜ケース２＞の場合、11年目以降の変動金利型の基準金利は４%程度（2.475%＋1.5%）になっています。83ページのグラフで確認できますが、この水準はバブル経済の香りが残る1995（平成７）年初旬と同じですので、今後かなりの好景気となるか、国家財政への不安さえ起こらなければ、実現する可能性は高くないかもしれません。

短めの返済期間での利用が安心

とはいえ、人生は長く住宅ローンの返済も長期にわたります。将来を見通すことは不可能ですので、リスクは抑えておきたいところです。

右ページの下図は、他の前提条件は変えずに返済期間だけ25年にした試算例です。＜ケース２＞のような金利上昇が起きても、全期間固定金利型より返済総額は少なくなるため、返済期間を短くする効果がわかるでしょう。

「変動金利型」の金利上昇リスクの試算例

〈35年返済の場合〉借入金額：4,000万円

金利タイプ	全期間固定金利型	変動金利型			
		ケース1		ケース2	
適用金利	1.48%	当初5年	0.625%	当初5年	0.625%
		6～10年	1.125%	6～10年	1.125%
		11年目～	1.625%	11年目～	2.125%
年間返済額	146.5万円	当初5年	127.3万円	当初5年	127.3万円
		6～10年	136.8万円	6～10年	136.8万円
		11年目～	145.1万円	11年目～	153.7万円
返済総額	5,127万円	4,947万円		5,163万円	
全期間固定金利型との比較		▲180万円		＋35万円	

〈25年返済の場合〉借入金額：4,000万円

金利タイプ	全期間固定金利型	変動金利型			
		ケース1		ケース2	
適用金利	1.48%	当初5年	0.625%	当初5年	0.625%
		6～10年	1.125%	6～10年	1.125%
		11年目～	1.625%	11年目～	2.125%
年間返済額	191.5万円	当初5年	172.9万円	当初5年	172.9万円
		6～10年	181.5万円	6～10年	181.5万円
		11年目～	188.2万円	11年目～	195.1万円
返済総額	4,788万円	4,595万円		4,698万円	
全期間固定金利型との比較		▲193万円		▲90万円	

〈参考〉30年返済の場合

全期間固定金利型との比較	▲188万円	▲31万円

35 「未払い利息」とは何か？

変動金利型ローンの金利上昇リスクについては、警鐘が鳴らされることが多いようです。ただし、利用する際の条件等によっては、意外とリスクは高くないケースもありますので、基本的なしくみを押さえたうえで対策を打っておきましょう。

返済額よりも利息が多い状態

変動金利型ローンを利用した場合のリスクとして、最もおそれられているのが「未払い利息」でしょう。

前述のように、一般的な変動金利型では、金利の見直しがあっても返済額は５年単位でしか変わらず、利息と元金の割合が調整されます。

しかし、急激な金利上昇が起こると、計算された利息のほうが返済額より多くなるという最悪の状況に陥る場合があります。これが、未払い利息です。

未払い利息が発生すると、返済を行っているにもかかわらず、ローン残高は増えてしまいます。また、未払い利息に対しては利息はかかりませんが、５年単位で返済額が変わったあとからはローン残高に組み込まれますので、その後は実質的にかかってくることになります。

実際、1991（平成３）年に、未払い利息が発生したことがありました。しかし、金利の低下によって、その後は一度も起こっていません。

急激な金利上昇リスクへの対処法

右ページで、未払い利息が発生する場合の一例を示しておきました。借入当初の適用金利は0.825％（保証料込み）で、３年目、４年目、５年目にそれぞれ１％ずつ適用金利が上がるという前提です。このケースでは５年目である49回目の返済から未払い利息が発生します。

48回目（４年後）のローン残高（＝32,480,703円）と、５年目の適用金利（＝3.825％）から、「32,480,703円×（3.825％÷12）＝103,532円」が49回目の本来の利息となるはずですが、返済額のほうは95,971円ですので、差し引き7,561円が未払い利息になるという理屈です。

この例でも、６年目以降の返済額は前述の「125％ルール」により、直前の1.25倍である119,963円に抑えられます。しかし、本来なら152,232円になるはずですので、将来に負担が先送りされた状態。未払いからは抜け出せたものの、返済額のほとんどが利息です。６年目以降も同じ金利が続く前提では、11年目（および16年目）にも再び返済額が増えてしまいます。

金利上昇リスクをご理解いただくために、少し怖い試算を見ていただきましたが、金利が３％上がった状況（このケースでは3.825％）を変動金利型の基準金利に置き換えると、「5.475％（2.475％＋3.0％）」の水準です。

この水準は、民間住宅ローンが自由化された直後（1994年９月、4.0％）を飛び越えて過去に遡らなければ見られない、まさに「万が一」という状況です。また、このケースでも返済期間が32年以下だったり、金利上昇の始まる時期がもう少し遅くなれば、未払い利息は発生しません。

変動金利型の金利上昇リスクはしっかりと理解する必要がありますが、
①融資金利が0.7％前後以下など、金利水準の低い金融機関を利用する
②20年～25年以内の返済期間で借りる
③返済期間が長い場合は、一部繰上げ返済でローン残高を減らしておく
といったことを心掛ければ、リスクは軽減できるでしょう。

なお、ソニー銀行と新生銀行の変動金利型では、適用金利の見直しが行われるたびに返済額も変わります（５月１日と11月１日時点の金利を基準に、それぞれ６月と12月の返済日の翌日から、新しい金利と返済額が適用されます）。返済額の見直しにあたっては、「125％ルール」もないのですが、その代わり、未払い利息が発生することもありません。

●未払い利息が発生する例

〈前提〉借入金額：3,500万円、返済期間：35年（単位：円）

回	返済額	利息	元金	ローン残高	未払い利息	金利
1回目	95,971	24,062	71,909	34,928,091	0	0.825％
25回目	95,971	50,583	45,388	33,215,084	0	1.825％
37回目	95,971	77,007	18,964	32,692,274	0	2.825％
48回目	95,971	76,510	19,461	32,480,703	0	2.825％
49回目	95,971	95,971	0	32,480,703	7,561	3.825％
60回目	95,971	95,971	0	※32,571,435	0	3.825％
61回目	119,963	103,821	16,142	32,555,293	0	3.825％
121回目	149,953	100,425	49,528	31,456,436	0	3.825％

※60回目（５年後）の時点で、この間の未払い利息（7,561円×12回＝90,732円）は残高に組み込まれる。

36 固定金利選択型ローン

民間住宅ローンのもう１つの主力商品が「固定金利選択型ローン」です。ベースは変動金利型ですが、２年、３年、５年、10年など、当初の一定期間の金利を固定にするのが最大の特徴で、固定金利の期間が長いほど、融資金利は高く設定されるのが一般的です。

「固定金利選択型」のしくみ

「固定金利選択型ローン」は、金融機関等によってさまざまな名称が使われています。「固定金利特約付ローン」や、「固定期間設定型ローン」などといった場合は、すべて同じ種類のローン商品だと捉えておきましょう。

返済当初の一定期間（２年～10年が一般的）については金利が固定され、この期間が終了したあとは原則として変動金利に移行しますが、そのときには再度、固定金利特約をつけることも可能です。

固定金利と変動金利の選択はその都度自由にできるタイプ（ただし、固定金利期間中は変動金利に変えられない）が一般的ですが、いったん変動金利を選ぶと、二度と固定金利には戻れないという古いタイプのものを扱っている金融機関もあるかもしれませんので、あらかじめ確認しておきましょう。

優遇金利は、「通期優遇型」と「当初優遇型」の２種類

固定金利選択型ローンの金利設定について理解しておきたいのが、２種類の優遇金利が存在するという点です。

１つめは、金利優遇幅が返済終了までずっと続くタイプで、「通期優遇型」などの名称が付けられています。もう１つは、当初の金利優遇が大きい代わりに、固定金利期間が終わったあとは少なくなるタイプで、「当初優遇型」などのネーミングです。２種類とも取り扱う金融機関では、後者のほうが返済当初の適用金利は低いのですが、明らかに「当初優遇型」が魅力的なところと、どちらがよいか迷う金利設定になっているところに分かれます。

全期間固定金利型や変動金利型なら、当初の金利（優遇金利）だけで比較してもほぼ構いませんが、固定金利選択型については、基準金利の水準や、固定金利期間が終わったあとの金利優遇なども確認しなければなりません。

固定金利選択型ローンのイメージ

●一般的な固定金利選択型ローンの仕組み

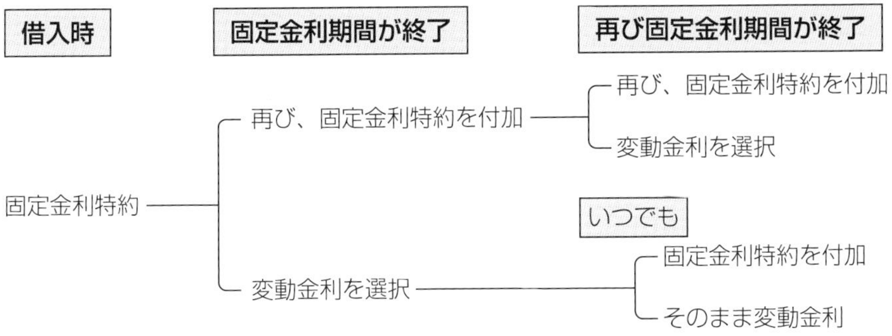

※固定金利特約期間中は、変動金利や他の固定金利特約に変えることができない。
※変動金利に移行した場合は、いつでも固定金利特約を付加できる。
※借入当初に変動金利からスタートできる金融機関も多い。

●当初優遇型と通期優遇型の金利設定例（住信SBIネット銀行）

<table>
<tr><th colspan="2" rowspan="3"></th><th rowspan="3">基準金利</th><th colspan="3">当初優遇型</th><th colspan="2">通期優遇型</th></tr>
<tr><th rowspan="2">優遇金利</th><th colspan="2">金利優遇</th><th rowspan="2">優遇金利</th><th rowspan="2">金利優遇</th></tr>
<tr><th>当初期間</th><th>終了後</th></tr>
<tr><td colspan="2">変動金利型</td><td>2.775%</td><td>0.975%</td><td colspan="2">▲1.80%</td><td>0.44%</td><td>▲2.335%</td></tr>
<tr><td rowspan="9">固定金利選択型</td><td>2年</td><td>2.80%</td><td>0.72%</td><td>▲2.08%</td><td rowspan="3">▲1.2%
※1</td><td>1.50%</td><td rowspan="9">▲1.3%
※2</td></tr>
<tr><td>3年</td><td>2.75%</td><td>0.77%</td><td>▲1.98%</td><td>1.45%</td></tr>
<tr><td>5年</td><td>2.83%</td><td>0.82%</td><td>▲2.01%</td><td>1.53%</td></tr>
<tr><td>7年</td><td>2.59%</td><td>0.89%</td><td rowspan="3">▲1.70%</td><td rowspan="6">▲0.7%</td><td>1.29%</td></tr>
<tr><td>10年</td><td>2.66%</td><td>0.96%</td><td>1.36%</td></tr>
<tr><td>15年</td><td>3.09%</td><td>1.39%</td><td>1.79%</td></tr>
<tr><td>20年</td><td>4.23%</td><td>1.65%</td><td>▲2.58%</td><td>2.93%</td></tr>
<tr><td>25年</td><td>4.09%</td><td>1.74%</td><td rowspan="2">▲2.35%</td><td>2.79%</td></tr>
<tr><td>30年</td><td>4.17%</td><td>1.82%</td><td>2.87%</td></tr>
</table>

※1　固定金利期間終了後、変動金利に移行した場合の金利優遇は▲1.80%
※2　固定金利期間終了後、変動金利に移行した場合の金利優遇は▲1.55%
（注1）いずれも2022年5月の「新規取得者向け」の金利。
（注2）変動金利期間中に固定金利特約をつける場合、当初優遇型は「基準金利－0.7%」、通期優遇型は「基準金利－1.3%」となる。
（注3）「融資額×2.2%」の融資事務手数料により、実質金利は0.15%前後高い水準となる。

37 「10年固定」の勘どころ

固定金利選択型ローンでは、「10年固定」の優遇が最もよいのが一般的です。ただし、「当初優遇型」か「通期優遇型」かの違いや、基準金利の水準、前者の場合は11年目以降の金利優遇なども確認したうえで、利用する金融機関や商品を選ぶ必要があります。

11年目以降の金利優遇なども確認！

右ページのケース①と②の「現在の水準」は、2022（令和４）年５月時点の一般的な例をもとに設定したものです。それぞれのケースで、11年目以降の適用金利がどうなるかを確認してみましょう。

まず、〈ケース①〉は、10年後も現在と同じ金利水準が続いた場合の数字です。現実的かは別として、これが考え方の基本になります。

「当初優遇型」では、11年目以降の金利優遇幅の縮小により、将来の金利水準は同じなのに、適用金利が高くなってしまいます。

一方、「通期優遇型」は、11年目以降の適用金利も現在と同じです。

〈ケース②〉は金利が２％上がる前提なので、当然ながら、11年目以降の適用金利は、いずれも①の数字より２％ずつ高いことがわかるでしょう。

下の〈参考〉からもわかるように、当初の優遇金利が同じでも、基準金利や11年目以降の金利優遇が違うと、将来の適用金利には大きな差が出ます。当初の数字だけで選ばず、これらを確認することも欠かせません。条件のよくない金融機関ほど、ＨＰ等で情報が開示されていないように思えます。

金利水準の低い「通期優遇型」がベスト

一般的には、「通期優遇型」の適用金利は、「当初優遇型」より高いのですが、「最初から金利水準の低い通期優遇型」を提供している金融機関もあり、執筆時点では、ソニー銀行、みずほ銀行、横浜銀行などの固定金利選択型がこの要件を満たしています（121ページもご参照ください）。

これらの金融機関が身近になかったり利用できない場合には、右ページの手順で11年目以降の適用金利の水準を想像したうえで、「当初優遇型」のなかから魅力的と思われる「10年固定」を探しましょう。

11年目以降の適用金利は何%？

〈ケース①〉 金利水準が変わらない場合の例

金利優遇のタイプ	金利タイプ	現在の水準		11年目以降		
		基準金利	優遇金利	金利優遇	適用金利	当初の10年固定との差
当初優遇型	10年固定	3.60%	1.00%	▲1.4%	2.20%	(＋1.2%)
	変動金利型	(2.475%)	(0.625%)		1.075%	(＋0.075%)
通期優遇型	10年固定	2.85%	1.00%	▲1.85%	1.00%	(± 0 %)
	変動金利型	(2.475%)	(0.625%)		0.625%	(▲0.375%)

〈見方の例〉当初優遇型の「10年固定」を利用し、11年目以降再び「10年固定」を選択

→ 基準金利（3.60%）－金利優遇（1.4%）＝11年目以降の適用金利（2.20%）

→ 現在の優遇金利（10年固定）と比べて、1.2%（2.20%－1.00%）の上昇

※通期優遇型で「10年固定→変動金利」にすると、本例では適用金利が下がる

〈ケース②〉 金利水準が２%上がった場合の例

タイプ	金利タイプ	現在の水準		11年目以降		
		基準金利	優遇金利	金利優遇	適用金利	当初の10年固定との差
当初優遇型	10年固定	3.60%	1.00%	▲1.4%	4.20%	(＋3.2%)
	変動金利型	(2.475%)	(0.625%)		3.075%	(＋2.075%)
通期優遇型	10年固定	2.85%	1.00%	▲1.85%	3.00%	(＋2.00%)
	変動金利型	(2.475%)	(0.625%)		2.625%	(＋1.625%)

〈参考〉「10年固定」（当初優遇型）のおもな金利設定例での比較

	変動金利型の条件		10年固定		11年目以降の金利優遇	11年目以降の適用金利	
	基準金利	優遇金利	基準金利	優遇金利		変動金利に移行	10年固定を再選択
例１	2.475%	0.625%	3.60%	1.00%	▲1.6%	0.875%	2.00%
例２	2.475%	0.625%	3.80%	1.00%	▲1.0%	1.475%	2.80%
例３	2.725%	0.625%	2.70%	1.00%	▲0.7%	2.025%	2.00%

※11年目以降の適用金利は、現在と金利水準が変わらなかった場合のもの

38 「固定金利型」VS「10年固定」

全期間固定金利型ローンには、将来的に返済額が変わらないという安心感はありますが、今後の金利状況次第では他の金利タイプのほうが結果的に有利となる場合もあります。ここでは、「10年固定」との損得の目安を把握する方法をご紹介します。

「損得分岐点レート」による比較

「フラット35」などの全期間固定金利型と「10年固定」を比べる場合、後者は将来的な金利動向次第で返済額が変わるため、単純には比較できません。そこで、筆者が活用しているのが「損得分岐点レート」です。

前者の金利タイプは、借入時点でローンの「トータル・コスト」(返済総額+保証料などの諸費用)が確定します。一方、後者の「10年固定」では当初10年間の返済額の合計と諸費用が決まります。この数字を差し引くことで、「11年目以降の後者の返済合計がいくらになれば、両者の負担が同じになるか」がわかります。この場合の金利水準を計算したのが、筆者オリジナルの「損得分岐点レート」(右ページの例では「2.366%」)です。

11年目以降の適用金利の平均がこの水準を超えると「全期間固定金利型」が正解。逆に、この範囲で収まれば「10年固定」が有利ということです。

金利の「許容上昇幅」から、どちらがよいかを判断

ただし、この数字自体からどちらがよいかを判断してはいけません。利用する金融機関で、基準金利や将来の金利優遇等の条件が違うからです。また、理由は後述しますが、「11年目以降は変動金利に移行する」前提とします。

右の例では、変動金利型の将来の基準金利がどれくらい上がっても大丈夫かという「金利の許容上昇幅」は、1.4%弱と計算されました。変動金利型の基準金利のベースとなる短期金利の平均上昇幅が、11年目以降はこの水準以下だと思う場合は「10年固定」を選び、もっと上がっていると考えるなら、全期間固定金利型の「フラット35」を選ぶべきだということです。

ちなみに、右ページの「10年固定」は優れた商品だと言えますが、通期優遇型のほうが金利の許容上昇幅はさらに大きくなります。

フラット35 VS「10年固定」の例（返済期間：25年）

●「トータル・コスト」での損得分岐点レートの例（25年返済）

	フラット35	10年固定	
		当初10年間	11年目以降
借入金額（ローン残高）	4,000万円	4,000万円	（2,519万円）
適用金利	1.48%	1.00%	2.366%
毎月返済額	159,598円	150,748円	166,366円
年間返済額	191.5万円	180.9万円	199.6万円
（期間合計）		1,809.0万円	2,994.6万円
返済総額	4,787.9万円	4,803.6万円	
融資事務手数料	88.0万円	3.3万円	
保証料（外枠方式）	0万円	69.0万円	
トータル・コスト	4,875.9万円	4,875.9万円	

※2022年５月の金利水準による試算

→ 11年目以降、残り15年間の適用金利の平均が「2.366%」になると、２つのローンの負担総額は同じとなる（これが**損得分岐点レート**）

〈判断の手順〉※前提条件：11年目以降は「変動金利」に移行

① 現在の変動金利型の基準金利＝2.475%

② 11年目以降の金利優遇＝1.50%　※一般的な例

③ 今後の金利水準が変わらない場合に適用される、11年目以降の変動金利型の金利＝0.975%（①－②）

④ 損得分岐点レート＝2.366%（上表参照）

→ **金利の「許容上昇幅」＝1.391%（④－③）**

※11年目以降の短期金利の上昇が、1.39%ほどまでは問題なし

→ **11年目以降の変動金利型の基準金利（平均）が3.866%（①＋1.391%）以下なら、「10年固定」がトク**

※参考までに、上記の基準金利の水準は、民間住宅ローンが自由化された直後の1994年９月～1995年４月とほぼ同じである。その頃のような状況にはならないと考えるか、1.39%程度の短期金利の上昇は起こり得ると考えるかで、どちらを選ぶかの判断は変わってくる。

SECTION 4

39 適用金利での「損得分岐点レート」

全期間固定金利型と「10年固定」の比較は、「損得分岐点レート」を利用することで可能になることはおわかりいただけたでしょう。

ここでは、「適用金利」から計算した「損得分岐点レート」の考え方と、活用の仕方をご紹介します。

適用金利等での試算が便利

異なる金利タイプのローンを比べる際には、前述の「トータル・コスト」で比較するとわかりやすくなります。しかし、最初に一括で支払う融資事務手数料や保証料（外枠方式）の金額と、長期で支払うローンの返済額を合計するため、「現在価値」の観点では正確な比較と言えません。

何より、トータル・コストの場合は、ケースごとに計算しなければならないので面倒ですし、そもそも計算できる人は少ないでしょう。

そこでご紹介するのが、「適用金利」等による損得分岐点レートです。

こちらなら、99ページのような「一覧表」が作成できますので、ここから損得分岐点レートを確認し、手順に沿って判断することが可能です。

右ページ下の図表は、95ページの「トータル・コストによる試算」と同じ前提ですが、ローンの返済額だけで損得分岐点レートを計算したものです。

本例のように、「フラット35（融資事務手数料＝融資額×2.2%）」と「10年固定（保証料＝外枠方式）」の比較であれば、諸費用に大きな差はないため、適用金利どうしで比べて構いません。

試算結果（2.292%）は、95ページの損得分岐点レート（2.366%）よりも若干低くなっていますが、25年返済の場合、外枠方式の一般的な保証料のほうが融資事務手数料より少ないことなどが原因です（61ページ参照）。

保証料が内枠方式であったり、保証料・融資事務手数料ともに不要であるなど、ローン返済額以外の諸費用に大きな差が生じるタイプを比較する場合は、61ページを参考に適用金利を実質金利に修正して比べましょう。

なお、実質金利どうしで比べる場合には、95ページ下の「判断の手順」に従って計算するにあたり、すべての数値を実質金利に修正したうえで、金利の許容上昇幅を計算してください。

11年目以降は、「変動金利」への移行が原則

全期間固定金利型と「10年固定」のどちらがよいかを判断する場合には、「11年目以降は変動金利型に移行する」という前提で考えます。

どの金利タイプを選んでも損得分岐点レート自体は同じですので、変動金利型のように基準金利が低いタイプを選んだほうが、「金利の許容上昇幅」が大きくなるためです。

仮に、現在の「10年固定」の基準金利が「3.6%」で、11年目以降も「10年固定」を再選択する、という前提で計算すると、

①現在の基準金利＝3.60%
②11年目以降の金利優遇（当初優遇型の例）＝1.5%
③現在の基準金利が変わらない場合に適用される、11年目以降の「10年固定」の金利＝2.10%（①－②）
④損得分岐点レート＝2.292%（下表参照）
⑤金利の「許容上昇幅」＝0.192%（④－③）

という数字になります。

つまり、「長期金利（10年固定の金利水準のベース）が0.2%ほど上がってしまうと、フラット35が正解だったことになる」というわけです。

11年目以降の金利優遇が1%程度しかない金融機関などは論外で、本例だと長期金利が現在より低下しない限り、フラット35より有利にはなりません。

「当初優遇型の10年固定」では、11年目以降に「10年固定を再選択する」のは、初めから存在しない選択肢だと理解しましょう。

●「適用金利」での損得分岐点レートの試算例（25年返済）

	フラット35	10年固定	
		当初10年間	11年目以降
借入金額（ローン残高）	4,000万円	4,000万円	（2,519万円）
適用金利	1.48%	1.00%	2.292%
毎月返済額	159,598円	150,748円	165,495円
年間返済額	191.5万円	180.9万円	198.6万円
（期間合計）	4,787.9万円	1,809.0万円	2,978.9万円
返済額等の総額（目安）		4,787.9万円	

→ 11年目以降、残り15年間の適用金利の平均が「2.292%」だと、2つのローンの負担総額は同じとなる（＝損得分岐点レート）

40 「損得分岐点レート」の活用

適用される金利水準や、11年目以降の金利優遇などを確認して、自分が利用できる金融機関の「10年固定」に魅力を感じた場合は、右ページの一覧表を使って、フラット35などの全期間固定金利型と比べてみましょう。

「損得分岐点レート（10年固定）」の一覧表の見方

たとえば、返済期間が25年で、適用金利が「10年固定＝1.00%、全期間固定金利型＝1.50%」、という場合、右ページの真ん中の表（25年返済）を見て、2つの数字が交差しているところを探しましょう。「2.346（%）」という数字が見つかるはずです。この損得分岐点レート（簡易計算版）をもとに、前述の手順に沿って金利の「許容上昇幅」を計算し、判断の参考にしてください。

なお、早見表は0.5%刻みでしか掲載してありませんので、仮に「1.48%」といった金利であれば、「1.50%」の欄を見ましょう。

比較を行う際の留意点

早見表の損得分岐点レートを活用する際には、以下の点にご留意ください。

①「適用金利どうし」、または「実質金利どうし」で比べる

必要であれば、61ページの下表を参考に、金利水準を実質金利に修正して比較しましょう。修正する際の上乗せ金利が同じなら、適用金利どうしで構いません。

②許容上昇幅よりも、高めの数字で判断してよい

金利上昇≒物価上昇、という観点で言うと、将来的な返済額の価値（負担）は目減りしているはずですので、計算した「許容上昇幅」よりやや高めの数字で、どちらを選ぶか判断してもよいでしょう。

③30年返済の数字は、あくまでも参考に

返済期間が長いほど金利上昇リスクは大きくなります。基本的には25年以内の返済期間での利用にとどめたほうが無難かもしれません。

なお、「10年固定」の金利水準が表に掲載した数字より高い場合は、全期間固定金利型を選ぶことをおすすめします。

損得分岐点レート（簡易計算版）の一覧

●30年返済 （単位：%）

		全期間固定金利型										
		1.00	1.10	1.20	1.30	1.35	1.40	1.45	1.50	1.55	1.60	1.70
10年固定	0.50	1.602	1.819	2.036	2.252	2.360	2.467	2.575	2.682	2.789	2.896	3.109
	0.60	1.482	1.700	1.917	2.134	2.242	2.349	2.457	2.564	2.671	2.778	2.992
	0.70	1.362	1.581	1.798	2.015	2.123	2.231	2.339	2.446	2.554	2.661	2.875
	0.80	1.242	1.461	1.679	1.896	2.005	2.113	2.221	2.328	2.436	2.543	2.758
	0.90	1.121	1.341	1.560	1.777	1.886	1.994	2.103	2.211	2.318	2.426	2.640
	0.95	1.061	1.281	1.500	1.718	1.827	1.935	2.043	2.152	2.259	2.367	2.582
	1.00	1.000	1.221	1.440	1.658	1.767	1.876	1.984	2.092	2.201	2.308	2.523
	1.05	—	1.161	1.380	1.599	1.708	1.817	1.925	2.033	2.142	2.249	2.465
	1.10	—	1.100	1.320	1.539	1.648	1.757	1.866	1.974	2.083	2.191	2.406
	1.20	—	—	1.200	1.420	1.529	1.639	1.747	1.856	1.965	2.073	2.289
	1.30	—	—	—	1.300	1.410	1.520	1.629	1.738	1.847	1.955	2.171

●25年返済 （単位：%）

		全期間固定金利型										
		1.00	1.10	1.20	1.30	1.35	1.40	1.45	1.50	1.55	1.60	1.70
10年固定	0.50	1.857	2.125	2.391	2.657	2.789	2.921	3.053	3.184	3.315	3.446	3.708
	0.60	1.687	1.955	2.222	2.488	2.621	2.753	2.885	3.017	3.149	3.280	3.542
	0.70	1.516	1.785	2.053	2.319	2.452	2.585	2.717	2.850	2.981	3.113	3.375
	0.80	1.344	1.614	1.883	2.151	2.284	2.417	2.550	2.682	2.814	2.946	3.209
	0.90	1.173	1.443	1.713	1.981	2.115	2.248	2.381	2.514	2.647	2.779	3.042
	0.95	1.087	1.358	1.628	1.896	2.030	2.164	2.297	2.430	2.563	2.695	2.959
	1.00	1.000	1.272	1.543	1.812	1.946	2.079	2.213	2.346	2.479	2.611	2.876
	1.05	—	1.186	1.457	1.727	1.861	1.995	2.128	2.262	2.395	2.527	2.792
	1.10	—	1.100	1.372	1.642	1.776	1.910	2.044	2.177	2.311	2.444	2.709
	1.20	—	—	1.200	1.471	1.606	1.741	1.875	2.009	2.142	2.276	2.541
	1.30	—	—	—	1.300	1.436	1.571	1.705	1.840	1.974	2.107	2.374

●20年返済 （単位：%）

		全期間固定金利型										
		1.00	1.10	1.20	1.30	1.35	1.40	1.45	1.50	1.55	1.60	1.70
10年固定	0.50	2.446	2.828	3.209	3.587	3.776	3.964	4.152	4.339	4.526	4.712	5.084
	0.60	2.159	2.543	2.924	3.304	3.493	3.682	3.870	4.058	4.246	4.433	4.805
	0.70	1.870	2.256	2.639	3.021	3.210	3.400	3.589	3.777	3.965	4.153	4.526
	0.80	1.581	1.969	2.353	2.736	2.927	3.117	3.306	3.495	3.684	3.872	4.247
	0.90	1.291	1.680	2.067	2.451	2.642	2.833	3.023	3.213	3.402	3.591	3.967
	0.95	1.146	1.536	1.923	2.308	2.499	2.691	2.881	3.071	3.261	3.450	3.827
	1.00	1.000	1.391	1.779	2.165	2.357	2.548	2.739	2.929	3.119	3.309	3.686
	1.05	—	1.246	1.635	2.021	2.214	2.405	2.597	2.788	2.978	3.168	3.546
	1.10	—	1.100	1.490	1.878	2.070	2.263	2.454	2.645	2.836	3.026	3.405
	1.20	—	—	1.200	1.589	1.783	1.976	2.169	2.361	2.552	2.743	3.123
	1.30	—	—	—	1.300	1.495	1.689	1.882	2.075	2.267	2.459	2.840

41 利用してよい「10年固定」の条件

条件のよい「10年固定」は、フラット35などの全期間固定金利型ローンより、結果的に有利になる可能性もあるという点は確認できたと思います。本項では、どのような「10年固定」なら利用してよいのかという点について確認します。

変動金利に移行した場合の金利優遇なども確認

「10年固定」を利用する場合、11年目以降は変動金利に移行するのが原則だという点はすでに述べました。この理由は、他の金利タイプ（10年固定など）と比べて、変動金利型の基準金利のほうが通常は低いためです。

固定金利特約期間が終わったあとの金利優遇が、その後どの金利タイプに移行しても同じなのであれば、基準金利という「発射台」が低いほど、将来の適用金利も低くなるのです。

もちろん、11年目を迎えるときに金利が急激に上昇していた場合などでは、期間の短い固定金利選択型（２～３年固定）でしのいだり、長めの固定金利選択型（５年～10年）でその後の金利上昇リスクを遮断する、という選択肢も視野に入ります。しかし、固定金利特約期間の終了後、変動金利に移行する際に、①その後は金利優遇が受けられない、②金利優遇幅が非常に少なくなる、といった「10年固定」は最初から選ぶべきではありません。

以前よりは少なくなったのですが、いまでも上記①（その後は金利優遇が受けられない）の条件を設定している金融機関もあります。

そして、このことがホームページやチラシなどに記載されていなかったり、ローンの担当者から詳しい説明がないことさえあるようです。

この点から見ても、適用金利が低い「通期優遇型の10年固定」が利用できればベストです。条件のよい金融機関がいくつか利用できそうな場合には、金利の上乗せなしで「がん団信」がついていたり、一部繰上げ返済の手数料が安い（あるいは無料）など、その他の条件も比べてみましょう。

投資信託や生命保険を販売するときと違い、住宅ローンについては詳細な説明がなされているとは言い難いように感じます。右ページのチェックポイントなどを参考に、自分から質問をすることが大切です。

他の有利なローンが利用できない場合は？

自分が利用できる「10年固定」の条件がよくない場合であっても、フラット35が利用できない物件だったり、他の長期固定金利型の条件もよくない、というケースもあるでしょう。これらの場合は、0.6％前後以下の金利水準で借りられる変動金利型があれば、そちらを利用するのも1つの方法です。

しかし、変動金利型は避けたいと考えるなら、10年後に借り換える前提で、「当初の金利水準が最も低い10年固定」を選ぶのが次善の策となります。

実は、「当初優遇型の10年固定」の場合、11年目以降は借り換えを実行して、当初の大幅な金利優遇の適用を再び受けるほうが有利です。借り換えでかかるコスト（諸費用）は0.1％程度の金利差でカバーできるため、通期優遇型でなければ、返済を続けるより、借り換えたほうがよいからです。

とはいえ、実際に借り換えができるかはわかりませんし、大幅な金利優遇が10年後も続いている保証もありません。だからこそ、借り換えができなくても後悔しないように細かい点もチェックして、11年目以降も有利な条件が継続する「10年固定」を選んでおきましょう、ということです。

●「10年固定」のおもなチェックポイント

確認項目	ポイントと、判断の目安
金利水準と、金利優遇のタイプは？	・金利水準の低い「通期優遇型」がベスト
基準金利は何％？	・10年固定だけでなく、変動金利型も確認
金利優遇が受けられる条件は？	・最優遇金利での利用は可能か → 11年目以降の適用条件もチェック
11年目以降の金利優遇は？	・変動金利に移行した場合も適用されるか。また、固定金利を再選択した場合と比べ、不利な条件になっていないか ・そもそも、金利優遇が少なくないか → 基準金利が高い場合はとくに注意
いつ時点の金利が適用される？	・融資実行時が原則だが、正式申込み時等と比べて有利なほうが適用される場合も
「疾病団信」の種類と内容は？	・弁済の要件や上乗せ金利の水準など
固定金利選択型の特約手数料	・5,500円～22,000円。再設定時には必ずかかる（借入当初は金融機関で異なる）
保証料と融資事務手数料	・負担の有無と、コストの水準を確認
繰上げ返済の手数料	・固定金利選択型は高めだが、無料のところもある（インターネット経由など）

SECTION 4

42 「10年固定」VS 変動金利型

民間住宅ローンを利用する際には、「10年固定」と変動金利型のどちらを利用するか迷う人も多いでしょう。
本項でも、住宅ローンの返済総額（予想額）という観点から、この2つの損得を試算してみることにします。

「当初優遇型の10年固定」の注意点

まず右ページの試算の前提条件ですが、今後5年間は金利上昇が起こらず、6年目に上がる想定です。また、その後の適用金利は変わらず、「10年固定」を利用する例のほうも、11年目以降は変動金利に移行するものとします。

注目したいのは、最初から変動金利型だった場合（下表）と、「10年固定」から移行した場合（上表）とでは、同じ金融機関の変動金利型であるにもかかわらず、11年目以降の適用金利が違う点です（太枠部分を参照）。

今回の「10年固定（当初優遇型）」は、11年目以降の金利優遇が「1.5%」という設定です。一方、最初から変動金利型だった場合の金利優遇はずっと「1.85%（2.475%－0.625%）」。そのため、「10年固定」から変動金利型に移行した場合、その後は同じ金利タイプであるにもかかわらず、11年目以降は「0.35%（1.85%－1.5%）」も適用金利が高くなってしまいます。

それでは、試算結果を確認してみましょう。今回の前提条件では、6年目以降の変動金利型の適用金利が「1.95%」になると、返済総額はほぼ同じとなります。このケースの損得は、6年目以降に「1.325%（1.95%－0.625%）」の金利上昇が起こるか、にかかっているわけです。

これ以上の金利上昇となった場合は、結果的に「10年固定」が有利となり、ここまで金利が上がらなければ変動金利型が正解だったことになります。

なお、興味深いことに、このケースでは返済期間が長いほうが変動金利型にとって有利な状況が出現します。当初優遇型の「10年固定」では、返済期間が長いほど、11年目以降の割高な変動金利の適用も長く続くためです。

一方、「通期優遇型の10年固定」であれば、11年目以降、変動金利に移行しても、最初から変動金利型を利用した場合と同じ金利水準が適用されます。

とはいえ、2022（令和4）年春には、世界的な物価と金利の上昇に対する懸念から、「10年固定」や長期固定金利型の融資金利が少し上がりました。これにより、変動金利型と「10年固定」の金利差が拡大したため、ほとんどの場合で変動金利型のほうが魅力的と言える状況になっています。

もっと早くから金利上昇が起きたり、６年目以降の上昇幅が大きい場合は変動金利型が不利になる可能性もありますが、そこまでの状況を想定するのであれば、最初から長期の固定金利型ローンを利用すべきでしょう。

通期優遇型の「10年固定」（かつ変動金利型と同じ金利水準）である場合や、本当は全期間固定金利型を利用したいが踏み切れない、といったケースを除けば、「10年固定」の利用価値は大きく後退したと筆者は考えています。

固定金利選択型（10年固定）VS 変動金利型、の試算例

●「10年固定」（当初優遇型）を利用した例（返済期間：25年）

	当初10年間	11～25年目
借入金額（ローン残高）	4,000万円	(2,519万円)
適用金利	1.00%	2.30%
年間返済額	180.9万円	198.7万円
各期間の返済合計	1,809.0万円	2,980.6万円
25年間の返済総額	4,789.6万円	

●「変動金利型」を利用した例（返済期間：25年）

	当初５年間	６～25年目
借入金額（ローン残高）	4,000万円	(3,249万円)
適用金利	0.625%	1.95%
年間返済額	172.9万円	196.3万円
各期間の返済合計	864.3万円	3,926.5万円
25年間の返済総額	4,790.8万円	

→ 変動金利型の６年目以降の適用金利が、現在と比べて
「1.325%」(1.95%－0.625%) 以上あがらなければ、変動金利型のほうが有利※
※変動金利型の基準金利では、「3.8%」（＝2.475%＋1.325%）の水準

（参考）上の例で「30年返済」を利用した場合、金利の許容上昇幅は「1.475%」となる

43 短期の固定金利選択型は？

固定金利選択型ローンでは、「10年固定」のほかに、「２年」から「５年」など、短い期間の固定金利特約がついたタイプもあります。なかには、0.5％前後という非常に低い金利水準を提示しているところもありますが、確認しておくべき点は多いといえます。

「通期優遇型」での利用が不可欠

右ページの上図は、「通期優遇型」で「３年固定」を利用した場合の例です。どの金利タイプも基準金利からの金利優遇幅はすべて同じで、これがずっと続きます。すなわち、魅力的な「固定金利選択型ローン」です。

「３年固定」の特約期間が終わったあとの金利水準が現在と変わらなかった場合、４年目以降もいまと同じ水準で自由に金利タイプを選ぶことができます。たとえば、「この３～４年、金利は上がらないだろうが、もう少し先には上昇が始まるだろう」と思う場合、いまは適用金利が最も低い「３年固定」を選び、４年目以降は「10年固定」などを選ぶという方法も視野に入ります。このほうが、当初の３年間、低い金利で借りられるからです。

一方、下図は「当初優遇型」のうち、条件が非常によくない例です。

当初の３年間は「0.5％」というさらに低い金利が適用されますが、４年目以降の金利優遇が少ないため、その後の適用金利は大幅にアップします。

とくに、変動金利型に移行すると「優遇なし」となる点が最大の注意点。このような金融機関もいまだにあるのです。

特約期間終了後の金利優遇などで明暗

前述したように、「当初優遇型」の固定金利選択型ローンを利用する場合、固定金利の特約期間が終わったあとは、変動金利型に移行するのがセオリーです。優遇がなくなったり、少なくなる場合は、非常に不利だと理解しておきましょう。とくにこのような商品設計の金融機関では、基準金利自体もかなり高い場合が多く、そうなるとダブルパンチの状態です。

不利な条件の固定金利選択型ほど、将来の金利優遇などはホームページやチラシに記載されていない場合が多いので、くれぐれもご注意ください。

「3年固定」で、4年目以降の状況を想定すると…

●「通期優遇型」の例

金利タイプ	借入当初（現在）			固定期間終了後の金利優遇	
	基準金利	金利優遇	適用金利	特約を継続	変動金利に移行
3年固定	2.65%	▲2.10%	0.55%	▲2.10%	▲2.10%
5年固定	2.75%		0.65%		
変動金利型	2.475%		0.375%		

※金利水準が変わらない場合

ケース	3年後の選択	4年目以降の適用金利	上昇幅
①	→ 3年固定	0.55%（2.65%－2.10%）	±0%
②	→ 5年固定	0.65%（2.75%－2.10%）	
③	→ 変動金利	0.375%（2.475%－2.10%）	

●「当初優遇型」のうち、最も利用を避けたい例

金利タイプ	借入当初（現在）			固定期間終了後の金利優遇	
	基準金利	金利優遇	適用金利	特約を継続	変動金利に移行
3年固定	2.90%	▲2.40%	0.50%	▲1.00%	優遇なし
5年固定	3.00%		0.60%		
変動金利型	2.475%	▲2.00%	0.475%		

※金利水準が変わらない場合

ケース	3年後の選択	4年目以降の適用金利	上昇幅
①	→ 3年固定	1.90%（2.90%－1.00%）	＋1.40%
②	→ 5年固定	2.00%（3.00%－1.00%）	＋1.40%
③	→ 変動金利	2.475%（2.475%－0%）	＋2.00%

→ 金利水準が同じでも、4年目以降の適用金利は大幅にアップしてしまう

SECTION 4

44 長期の固定金利選択型

一部の金融機関では、15～20年以上の長期にわたる固定金利特約がつけられるところがあります。返済期間と同じ期間の固定金利特約をつければ「全期間固定金利型」と同じになりますが、少し短い期間で設定したほうがよいケースもあります。

35年返済での試算例

この返済期間でローンを組んでよいかはさておき、35年返済を選ぶ場合は全期間固定金利型で借りると安心でしょう。

住信ＳＢＩネット銀行を例にとると、「35年固定」の固定金利選択型がありますので、35年返済であれば実質的に全期間固定金利型と同じです。

一方、同行には「30年固定」もあります。「35年固定」よりも金利水準が低ければ、「35年返済で、30年固定を選ぶ」という選肢も検討できます。

右ページの上図は、この２つの方法を比べたものです。後者の場合、31年目以降の残り５年間の適用金利が「5.185％」（基準金利に換算すると5.885％）に上がると、「35年固定」を利用した場合の返済総額と同じになります。

仮にここまで金利が上がったとしても、物価上昇で貨幣価値は低下していますし、繰上げ返済等ですでにローンは終わっているかもしれません。

30年返済での試算例

上記のように、全期間固定金利型ではなく、返済期間より短い「固定金利選択型」を利用したほうがよいケースもあることが理解できたでしょう。

続いて、ａｕじぶん銀行を例に、「30年固定」と「20年固定」を利用した場合を試算したのが右ページの下図です（返済期間はいずれも30年）。

後者の21年目以降の適用金利（残り10年間の平均）が5.189％となる場合、返済総額はほぼ同じですので、本例では「20年固定」のほうが魅力的です。同行では、「20年固定」の条件を他の期間より有利にしているためです。

2022年現在では、このように有利な「20年固定」は少なくなりましたが、１～３年ほど前は多くの金融機関で見られました。25～30年の返済期間であれば、「15年、または20年固定」の条件もチェックしましょう。

「35年固定」VS「30年固定」の例（返済期間：35年）

●「損得」の分岐点となる金利水準の例

<table>
<tr><th rowspan="2"></th><th rowspan="2">「35年固定」</th><th colspan="2">「30年固定」</th></tr>
<tr><th>当初30年間</th><th>31～35年目</th></tr>
<tr><td>借入金額（ローン残高）</td><td>4,000万円</td><td>4,000万円</td><td>（731万円）</td></tr>
<tr><td>適用金利</td><td>1.82%</td><td>1.74%</td><td>5.185%</td></tr>
<tr><td>毎月返済額</td><td>128,840円</td><td>127,230円</td><td>138,495円</td></tr>
<tr><td>年間返済額</td><td>154.6万円</td><td>152.7万円</td><td>166.2万円</td></tr>
<tr><td>（期間合計）</td><td rowspan="2">5,411.3万円</td><td>4,580.3万円</td><td>831.0万円</td></tr>
<tr><td>返済総額</td><td colspan="2">5,411.3万円</td></tr>
</table>

※2022年５月の住信ＳＢＩネット銀行の融資金利による試算。

→ 31年目以降、残り５年間の適用金利の平均が「5.185%」になると、
２つのローンの返済総額はほぼ同じとなる。

※残り５年以内のすべての金利タイプで、「5.885%」の基準金利（金利優遇：▲0.7%）

「固定30年」VS「20年固定」の例（返済期間：30年）

●「損得」の分岐点となる金利水準の例

<table>
<tr><th rowspan="2"></th><th rowspan="2">「30年固定」</th><th colspan="2">「20年固定」</th></tr>
<tr><th>当初20年間</th><th>21～30年目</th></tr>
<tr><td>借入金額（ローン残高）</td><td>4,000万円</td><td>4,000万円</td><td>（1,482万円）</td></tr>
<tr><td>適用金利</td><td>1.59%</td><td>1.095%</td><td>5.189%</td></tr>
<tr><td>毎月返済額</td><td>139,782円</td><td>130,408円</td><td>158,522円</td></tr>
<tr><td>年間返済額</td><td>167.7万円</td><td>156.5万円</td><td>190.2万円</td></tr>
<tr><td>（期間合計）</td><td rowspan="2">5,032.1万円</td><td>3,129.8万円</td><td>1,902.3万円</td></tr>
<tr><td>返済総額</td><td colspan="2">5,032.1万円</td></tr>
</table>

※2022年５月のａｕじぶん銀行の融資金利による試算。

→ 21年目以降、残り５年間の適用金利の平均が「5.189%」になると、
２つのローンの返済総額はほぼ同じとなる。

※残り10年以内のすべての金利タイプで、「5.989%」の基準金利（金利優遇：▲0.8%）

〈参考〉2022年５月現在、ａｕじぶん銀行では「15年固定＝1.245%」、「20年固定＝1.095%」、というように、「20年固定」の融資金利を他の期間より有利に設定している（P.115参照）。

45 「ミックスプラン」の利用

民間住宅ローンならではの金利プランの選択方法として挙げられるのが、「(金利) ミックスクプラン」です。文字通り、固定金利（または固定金利選択型）や変動金利を一定の割合で組み合わせて借りる方法で、迷った場合は選択肢の１つになるでしょう。

異なる金利タイプを組み合わせる方法

２種類の金利タイプを組み合わせて借りる方法が「ミックスプラン」です。大手銀行やネット銀行、一部の地方銀行などで利用できます。

金利タイプの組み合わせは、たとえば「全期間固定金利型＋変動金利型」、「10年固定＋変動金利型」、「10年固定＋25年固定」、といったように、自由に選べますし、それぞれの借入金額も、半分ずつや７対３など、好きなように設定することが可能です（ただし、それぞれの借入金額に500万円など最低ラインが設けられている場合は、それ以上の額にする必要があります）。

同じ返済期間での組み合わせが原則

ミックスプランを利用する際には、住宅ローンの金利水準や商品性が優れている金融機関を選ぶのはもちろん、「金利リスクの軽減」が目的である点を理解することが大切です。将来的に金利水準が上昇（あるいは低下）した場合は、すべてを全期間固定金利型（あるいは変動金利型）で借りていたほうが正解となるのですが、それは結果論。資産運用における「ポートフォリオ」と同じような位置づけで捉えておくべきでしょう。

なお、組み合わせる金利タイプは同じ返済期間で設定するのが原則です。全期間固定金利型は30年で、変動金利型は20年、といったプランが利用できる金融機関は、新生銀行などごく一部に限られます。２契約分の登記費用や印紙代等がかかるなど、利用コストも数万円多くなるのが一般的です。

このほかに、広義のミックスプランとして、①固定金利型の「フラット35」と変動金利型の「財形住宅融資」を併用する、②ペアローンを利用して、それぞれが異なる金利タイプを選ぶ、という方法もあります。いずれも２つのローンが異なる返済期間で借りられるため、選択肢はさらに広がります。

●「ミックスプラン」のイメージ

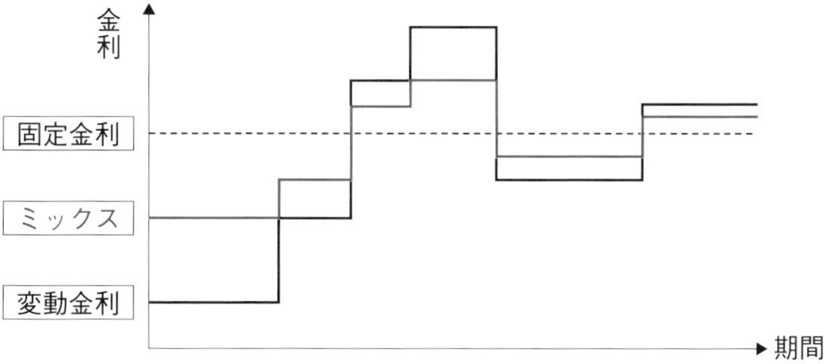

〈メリット〉

・固定金利だけの場合と比べて、当初の返済額は少ない

・金利上昇局面では、変動金利だけの場合より負担は軽減される

〈デメリット〉

・一定以上金利が上がった場合は、固定金利だけのほうが有利

・金利があまり上がらなかった場合は、変動金利だけのほうが有利

●「ミックスプラン」が利用できる金融機関の例

（2022年５月１日現在）

	変動金利型	固定金利選択型		固定金利型		
		３年固定	10年固定	25年	30年	35年
三菱UFJ銀行	**0.475%**	0.59%	1.04%	**1.25%**	**1.30%**	**1.35%**
三井住友銀行	**0.475%**	**1.25%**	1.50%		**1.76%**	
みずほ銀行※1	**0.375%**	**0.60%**	**0.95%**	**1.32%**	**1.36%**	**1.39%**
りそな銀行	**0.47%**	1.045%	0.945%	**1.095%**	**1.195%**	**1.195%**
三井住友信託銀行	**0.445%**	0.67%	0.87%	－	1.32%	－
新生銀行※2	**0.65%**	0.70%	0.95%	**1.25%**	**1.35%**	**1.35%**
ａｕじぶん銀行	**0.41%**	0.68%	0.805%	－	1.59%	1.70%
住信SBIネット銀行	**0.44%**	0.77%	0.96%	－	1.74%	1.82%

※１ 「ネット専用住宅ローン」（来店不要）の融資金利を表示。

※２ 保証料不要。融資事務手数料は定額タイプ（実質金利はほぼ記載のとおり）
（他の金融機関は「融資手数料型（保証料不要）」の融資金利を掲載。「融資額×2.2%」を基準とする融資事務手数料がかかるため、実質金利は「上記＋0.15%」程度となる）。

（注１）太字の金利は「通期優遇型」または「全期間固定金利型」（他は「当初優遇型」）。

（注２）新生銀行は変動金利型を除き、自己資金10%以上の融資金利を表示。

（注３）auじぶん銀行は、「au金利優遇割」の適用で最大0.1%金利が下がる。

（注４）住信ＳＢＩネット銀行などでは、「当初優遇型」と「通期優遇型」でのミックスも可能。

46 大手銀行の住宅ローン①

民間住宅ローンを選ぶ際の基本的な考え方については、これまで述べてきたとおりです。ここから先は、個別の業態ごとの状況や、特徴などをご紹介していきます。まずは利用者も多い最大手の２行から。三菱ＵＦＪ銀行と三井住友銀行の商品を確認しましょう。

シェアNO.1の三菱ＵＦＪ銀行

2021（令和３）年度に続いて、2022（令和４）年４月にも２年連続となる商品性等の見直しを行いました。現在は、「融資手数料型（融資額×2.2%）」のタイプだけとなり、「保証料型」の新規取扱いは終了しています。

固定金利選択型も「プレミアム住宅ローン（当初優遇型）」の３種類（３年固定、10年固定、20年固定）しかなく、他の固定金利期間（通期優遇型）は更新時に限り選択できます。金利水準は低めですが、固定金利特約期間終了後の金利優遇があまり大きくない点については留意が必要でしょう。

また、変動金利型は2022年４月以降、借入後の金利が毎月見直されるタイプへと変わりました（以前からの利用者は、半年単位のままです）。

返済額が５年単位で見直されるしくみに変更はありませんが、利用者にとって、金利上昇局面では負担増がすぐにやってきてしまいます。

なお、従来の「ネット専用住宅ローン」は終了し、電子申込と電子契約の方法は「スマート手続」に一本化されました。

全期間固定金利型の融資金利は、水準自体を頻繁に見直していますので、固定金利で借りたい人はチェックしておくとよいでしょう。

三井住友銀行は変動金利型に注目

この銀行も、提携ローンを除いた店頭での申込みは終了し、専用アプリやWebから事前審査に申し込む「ＷＥＢ申込専用住宅ローン」のみの取扱いとなっています。ただし、事前審査（ＡＩ事前診断）に通った後は、担当者との電話やメールを通した相談に力を注いでいるということです。

とはいえ、変動金利型以外は金利水準が低いとは言えず、固定金利選択型の商品性もあまりよくはないのが現状です。

●三菱ＵＦＪ銀行の融資金利等（新規取得者向け）（2022年５月現在）

金利タイプ	プレミアム住宅ローン（固定金利選択）等		
	基準金利	最優遇金利	期間終了後の金利優遇
変動金利型	2.475%	0.475%	▲2.00%
３年固定	3.19%	0.59%	▲1.75%
10年固定	3.69%	1.04%	▲1.50%
20年固定	5.00%	1.40%	▲1.50%

固定金利型	21～25年	26～30年	31～35年
	1.25%	1.30%	1.35%

※「スマート手続」は、ホームページや、銀行窓口か不動産会社のタブレット端末、またはテレビ窓口にて事前審査を申し込み、正式申込みから契約までの手続きをWebで行う（申込内容や物件等によっては利用できない場合がある）。
※紙面での申込み、または対面で契約する場合、融資金利は「上記＋0.15%」となる。
※審査結果によっては実際の融資金利が変わる場合がある。

〈参考〉更新時等に選択できる「固定金利特約」の基準金利

１年固定	２年固定	３年固定	５年固定	７年固定	10年固定	15年固定	20年固定
2.85%	3.10%	3.19%	3.65%	3.60%	3.69%	4.70%	5.00%

●三井住友銀行のおもな融資金利（新規取得者向け）

（2022年５月現在）

金利タイプ	変動金利型	固定金利選択型		全期間固定金利型		
		５年固定	10年固定	10年超15年以内	15年超20年以内	20年超35年以内
基準金利	2.475%	3.60%	3.70%	2.19%	2.22%	2.26%
最優遇金利	0.475%	1.40%	1.50%	1.69%	1.72%	1.76%

※固定金利選択型は「当初優遇型」を表示。固定金利期間終了後の金利優遇は「▲1.4%」。
※審査結果によっては、適用金利が最大で「上記＋0.25～0.4%」となる場合がある。
※「ペアローン」では夫婦連生型の団信（クロスサポート）が利用可（上乗せ金利は0.18%）。
※「ＺＥＨ住宅（net Zero Energy House)」を取得する場合には、「SMBC Greenプロジェクト」の一環で、変動金利型の最優遇金利が「0.425%」となる。

〈固定金利選択型（通期優遇型）の金利設定〉

金利タイプ	２年固定	３年固定	５年固定	10年固定
基準金利	3.00%	3.25%	3.60%	3.70%
最優遇金利	1.00%	1.25%	1.60%	1.70%

※固定金利期間終了後もずっと「▲2.0%」の金利優遇が続く。

47 大手銀行の住宅ローン②

金利水準の低さや商品性などから魅力的なラインナップを揃えているのが、本項でご紹介する3行です。なかでも、みずほ銀行は、「ネット住宅ローン」と「店頭商品」のそれぞれで「手数料型」と「保証料型」が選べ、金利設定も業界最低水準となっています。

みずほ銀行のラインナップは最強布陣

2022（令和４）年５月現在、みずほ銀行の金利設定はすべての商品タイプで業界最低水準です。とくに「ネット住宅ローン」の変動金利型（0.375%）と全期間固定金利型（～1.3%台）は注目に値するでしょう。

「固定金利選択型」も金利水準が非常に低い「通期優遇型」の商品ですし、「土地の先行取得＋注文建築」、「中古マンションの購入＋リフォーム」など、さまざまな場面で柔軟な分割実行にも応じてくれる点も含め、最も理想的な住宅ローンの取扱機関だと筆者は評価しています。

ただし、その分、審査が厳しいのは仕方のないことでしょう。

りそな銀行の注目商品は３つ

大手銀行で、最も早くから「手数料型」の取扱いを始めたのがりそな銀行です。商品ラインナップで目を引くのが「変動金利型」、「10年固定（当初優遇型）」、「全期間固定金利型」の３種類。とくに後者は、大手銀行やネット銀行のなかで最も低い金利水準となっています（2022年５月現在）。

「団信革命」という名称の疾病団信も、保障範囲の広さなどから人気があるようです。資金計画に余裕がある場合は検討してみましょう。

三井住友信託銀行の利用は属性次第

大手銀行やネット銀行全体に共通する問題なのですが、自営業者を中心に審査が厳しく（最優遇金利での利用が難しい）、融資実行まで時間がかかる点や、つなぎ融資に対応していないなど、使い勝手はあまりよくありません。

しかし、右ページで示したタイプを中心に最低金利水準の低さは魅力的ですので、勤務先が安定している人などは候補の１つになるでしょう。

●みずほ銀行のおもな融資金利（新規取得者向け）

（2022年５月現在）

金利タイプ		基準金利	ネット住宅ローン		住宅ローン（店頭）	
			手数料型	保証料型	手数料型	保証料型
変動金利型		2.475%	0.375%	0.525%	0.575%	0.625%
固定金利選択型	２年固定	2.65%	0.55%	0.70%	0.75%	0.80%
	３年固定	2.70%	0.60%	0.75%	0.80%	0.85%
	５年固定	2.75%	0.65%	0.80%	0.85%	0.90%
	７年固定	2.85%	0.75%	0.90%	0.95%	1.00%
	10年固定	3.05%	0.95%	1.10%	1.15%	1.20%
固定金利型	11〜15年	1.74%	1.19%	1.24%	1.29%	1.34%
	16〜20年	1.82%	1.27%	1.32%	1.37%	1.42%
	21〜25年	1.87%	1.32%	1.37%	1.42%	1.47%
	26〜30年	1.91%	1.36%	1.41%	1.46%	1.51%
	31〜35年	1.94%	1.39%	1.44%	1.49%	1.54%

※「固定金利選択型」は通期優遇型の商品である。
※「手数料型」は保証料不要だが「融資額×2.2%＋33,000円」の融資事務手数料がかかる。
※「保証料型」の融資手数料は33,000円。別途、保証料（外枠方式または内枠方式）が必要となる。
※審査結果によっては、適用金利が最大で「上記＋0.3%」となる場合がある。

●りそな銀行のおもな融資金利（新規取得者向け）

（2022年５月現在）

金利タイプ		基準金利	通期優遇型		当初優遇型	
			手数料型	保証料型	手数料型	保証料型
変動金利型		2.475%	0.470%	0.525%	―	―
固定金利選択型	５年固定	3.20%	1.195%	1.250%	1.145%	1.200%
	10年固定	3.60%	1.595%	1.650%	0.945%	1.000%
	20年固定	4.65%	2.645%	2.700%	2.595%	2.650%
固定金利型	25年以内	―	1.095%	1.150%		
	25〜30年	―	1.195%	1.250%		
	30〜35年	―	1.195%	1.250%		

※「手数料型」は保証料不要だが「融資額×2.2%＋33,000円」の融資事務手数料がかかる。
※「保証料型」の融資手数料は33,000円。別途、保証料（外枠または内枠方式）が必要となる。
※「当初優遇型」の固定期間終了後の金利優遇は、「手数料型＝▲1.655%」、「保証料型＝▲1.6%」。
※審査結果によって、適用金利は上記より高くなる場合がある。

●三井住友信託銀行のおもな融資金利（新規取得者向け）

（2022年５月現在）

金利タイプ	変動金利型	２年固定	３年固定	10年固定	15年固定	30年固定
基準金利	2.475%	3.05%	3.20%	3.25%	3.75%	4.25%
最優遇金利	0.445%	0.62%	0.67%	0.87%	1.22%	1.32%

※上記は「手数料型」の適用金利。保証料不要、融資事務手数料＝「融資額×2.2%」。
※「保証料型」の適用金利は「上記＋0.05%」。融資手数料＝33,000円（別途、保証料が必要）。
※固定金利期間終了後の金利優遇は、２年、３年、５年固定＝▲1.75%、10年以上＝▲1.45%。
※審査結果によって、適用金利等は最大で「上記＋0.3〜0.55%」となる場合がある。

48 ネット銀行などの住宅ローン①

インターネット上での営業活動に特化している「ネット銀行」などの住宅ローンは、金利水準の低さなどで人気です。

ただし、申込みから司法書士への登記依頼まで、インターネットや郵送でやりとりを行い、自力で手続きをする必要があります。

実は便利な「ネットローン」

パソコンやスマートフォンなどのモバイル、専用アプリなどを利用することで、金融機関の窓口に行かずに手続きが完了するのが「ネット住宅ローン」です。審査にあたり提出する各種証明書等も、昨今ではサイトやアプリへのアップロードで完了しますので、手続きはますます便利になったと言えるでしょう。申込書に手書きしなくて済むのはとても便利です。

少し前まではネット銀行の独壇場でしたが、現在では多くの銀行が参入したり、事前審査等の入口（Web申込み）として取り入れています。

今後は、ローン利用時の当り前の手段として認識されていくでしょう。

ひとつ心配があるとすれば、登記手続きを行う司法書士との面談が必要になる点かもしれませんが、物件の引き渡し日に銀行に出向いて行う最終的な手続きを、事前に司法書士と行うのだと理解しておきましょう。金融機関から指定された相手に自分からをアポイントを取るか、先方から連絡があるかなども含め、サイトや担当者の指示に従って登記手続きを依頼します。

あとは登記の完了時に自分の口座に借入金額が着金。すぐに売主や工務店に自動振込みで資金が送られ、すべてが完了するというイメージです。

本当は借り換えでの利用が最適

手続きも便利で融資金利も低いなど、魅力の多いネット住宅ローンですが、最大の問題点は「時間との闘い」です。金融機関によっても異なりますが、事前審査の申込みから融資実行まで、1カ月半～2カ月程度かかる場合もあるため、マイホームの購入時にはスケジュールが厳しいこともあるでしょう。

この点を勘案すると、時間的な余裕がある「借り換え」の際にこそ、最も真価を発揮するローンなのかもしれません。

auじぶん銀行は、変動金利型が衝撃の0.31%！

近年、最も話題のネット住宅ローンが、「auじぶん銀行」の商品でしょう。三菱ＵＦＪ銀行と、ＫＤＤＩ㈱の子会社の出資で誕生したネット専業銀行で、変動金利型の最低金利水準は「0.31%」。「携帯電話（一定のau回線）」と、「じぶんでんき」をセットで利用することが条件です（＝au金利優遇割）。

借入後は他行の口座から毎月一定額を無料で入金できる「定額自動入金サービス」が利用できる点なども評価できます。とくに条件のよい金利タイプは、「変動金利型」と「当初優遇型の10年固定、20年固定」の３つでしょう。

なお、変動金利型の通常の金利水準は「0.41%」です。「0.31%」の優遇金利と比べると、借入金額5,000万円の場合で返済額は月額2,200円弱の差しかありません。携帯の料金プランなども含めて判断しましょう。

PayPay銀行も住宅ローンに注力

ネット銀行としては老舗に当たるPayPay銀行（旧ジャパンネット銀行）の商品も、変動金利型や「10年固定」等の金利水準の低さで注目されています。

ただし、自営業者等は利用できない点や変動金利型の金利変動リスクには留意が必要で、長期の固定金利選択型の融資金利も高くなりました。

●auじぶん銀行のおもな融資金利（新規取得者向け）

（2022年５月現在）

	変動金利型	固定金利選択型						
		２年固定	３年固定	10年固定	15年固定	20年固定	30年固定	35年固定
基準金利	2.341%	2.59%	2.61%	2.85%	2.98%	3.12%	3.43%	3.54%
優遇金利	0.41%	0.52%	0.68%	0.805%	1.245%	1.095%	1.59%	1.70%

※固定金利選択型は「当初優遇型」の融資金利を表示。固定期間終了後は「基準金利－0.8%」等。
※融資手数料は「融資額×2.2%」。上乗せ金利なしで「がん50%保証団信」が利用可。

●PayPay銀行のおもな融資金利（新規取得者向け）

（2022年５月現在）

	変動金利型	固定金利選択型						
		２年固定	３年固定	10年固定	15年固定	20年固定	30年固定	35年固定
基準金利	2.28%	2.45%	2.56%	2.73%	3.37%	3.55%	3.70%	3.75%
優遇金利	0.38%	0.55%	0.66%	0.83%	1.47%	1.65%	1.80%	1.85%

※固定金利選択型は「当初優遇型」のタイプ。固定期間終了後の適用金利は、固定金利特約を再びつけると「基準金利－1.1%」、変動金利型に移行すると「基準金利－1.4%」となる。
※融資手数料は「融資額×2.2%」。上乗せ金利なしで「がん50%保障団信」が利用可。
※個人事業主や親族が経営する会社の社員等は申込みができない。
※変動金利型は適用金利が変わると返済額もすぐに見直され、「125%ルール」もない。

49 ネット銀行などの住宅ローン②

住宅ローンを取り扱うネット銀行の草分け的な存在として知られるソニー銀行は、利用者目線の商品性と金利水準の低さが魅力です。
イオンモールなどでも推進を行うイオン銀行や、「フラット35」にも注力している楽天銀行も存在感を示しています。

安心・安定のソニー銀行

いわゆる「ネット住宅ローン」に共通するデメリットには、融資実行までの期間が長く物件によっては利用できない点や、保証会社を利用しないため審査が厳しい、といった点が挙げられます。ＨＰなどで利用者の属性や最低年収などを把握して、まずは自分が利用できるかを確認しましょう。

ソニー銀行の場合、申し込めるのは年収400万円以上の人に限られます。変動金利型は適用金利が変わるごとに返済額も見直される点にも留意が必要です。しかし、金利水準が低く商品性も極めて優秀。返済能力に自信がある人にとっては、最も利用したい住宅ローンのひとつだと筆者は評価します。

３種類の取扱商品があり、それぞれの特徴は次のとおりです。

①住宅ローン：「通期優遇型」の商品。諸費用、金利水準ともに低い
②固定セレクト住宅ローン：「固定金利選択型（当初優遇型）」の商品
③変動セレクト住宅ローン：低利の変動金利型からスタートするタイプ

どれも魅力的ですが、基本的には①の商品（住宅ローン）でよいでしょう。

固定金利特約期間中でも変動金利への切り替えが可能な点や、変動金利型の利用中も「部分固定金利特約」を設定して金利上昇リスクを抑えることができるなど、返済開始後の見直しのしやすさも高く評価できます。

イオン銀行と楽天銀行の利便性

どちらの銀行も、イオンや楽天市場を核とした巨大流通グループの一員であるというのが、他の金融機関にない強みです。

まず、イオン銀行ですが、全国のイオンモール等に実店舗を持っており、家族で買い物に行きながら住宅ローンの相談を受けることも可能です。

「変動金利型」、「固定金利選択型」ともに金利水準は低く、後者は将来的な

金利優遇（▲1.6%）を含めた商品性も評価できます。

ローン金利の高い地域では、金利水準が最も低い身近な金融機関となっており、厳しすぎない審査も含め、申込先の１つに入れておきたい銀行です。

楽天銀行は「フラット35」の推進でも注目されていますが、独自の変動金利型も優秀です。ただし、審査によっては適用金利がかなり高くなる点や、つなぎ融資等も充実している反面、諸費用などには注意が必要となります。

●ソニー銀行の住宅ローン商品は３種類

（2022年５月現在）

／商品名		住宅ローン	固定セレクト住宅ローン		変動セレクト住宅ローン
			借入当初	期間終了後	
金利優遇幅	変動金利適用期間中	▲1.00%	－	▲0.60%	▲1.30%
	固定金利適用期間中		▲1.30%		▲0.90%
借入当初の金利タイプ		自由に選択	10年、15年、20年固定		変動金利型
融資手数料		44,000円	融資額×2.2% ※定率タイプ		

※自己資金が10%以上ある人は、金利優遇幅が0.05%大きくなる（借り換えは除く）

●ソニー銀行のおもな融資金利（新規取得者向け）

（2022年５月１日現在）

		変動金利型	固定金利選択型					
			３年固定	５年固定	10年固定	15年固定	20年固定	20年超
基準金利		1.807%	1.867%	2.042%	2.100%	2.733%	2.888%	2.986%
適用金利	住宅ローン	0.757%	0.817%	0.992%	1.050%	1.683%	1.838%	1.936%
	変動セレクト	0.457%	0.917%	1.092%	1.150%	1.783%	1.938%	2.036%
	固定セレクト	－	－	－	0.750%	1.383%	1.538%	－

※いずれも「自己資金10%以上」の融資金利。10%未満は「上記+0.05%」となる。
※「住宅ローン」の実質金利は上表の数値と同じ。他は融資手数料により「+0.15%」程度。
※上乗せ金利ゼロで「がん団信50（がん50%保障付）」が利用可。

●イオン銀行

（2022年５月１日現在）

	変動金利型	固定金利選択型	
		5年固定	10年固定
基準金利	2.37%	2.70%	2.95%
優遇金利	0.52%	0.65%	0.87%

※固定金利期間終了後は、「基準金利−1.6%」。
※融資事務手数料（定率タイプ）は「融資額×2.2%」。定額タイプ（11万円）の商品もあるが、金利水準は0.2%高くなる。

（注）いずれの金融機関も保証料は不要。

●楽天銀行

（2022年５月１日現在）

	変動金利型	固定金利選択型	
		5年固定	10年固定
基準金利	1.187%	1.604%	1.845%
優遇金利	0.537%	0.954%	1.195%

※全期間にわたり、最大0.65%の金利優遇。
※融資事務手数料は33万円。
※年収400万円以上が対象（連帯債務型での収入合算の利用が可能）。
※楽天銀行以外の返済口座を指定した場合、適用金利は「+0.3%」となる。

50 ネット銀行などの住宅ローン③

本項では新生銀行と住信ＳＢＩネット銀行の２行をご紹介します。前者は住宅ローンの電子契約への対応を完了し、非対面型のネット住宅ローンの取扱いへと舵を切りました。後者は逆に、ローンプラザや提携先機関等での対面販売の推進などにも力を注いでいます。

新生銀行も電子契約の住宅ローンに対応

新生銀行の住宅ローンはネット経由での申込みを基本としつつも、最終的には近隣の店舗に来店して契約手続きを行うというものでした。

しかし、紙面の契約書への署名・押印が不要で、Web上での契約ができる「電子契約」サービスを導入した結果、完全なネット住宅ローンへと進化しています。手続きの迅速化と、印紙税というコストの削減も実現しました。

融資手数料が55,000円からと安く、保証料も不要であるなど、従来からコストの安い住宅ローンとして知られていましたが、2019（令和元）年５月の見直し以降、ローンの商品性も魅力的なものに変わっています。

「変動フォーカス」というタイプを除き、表示されている金利≒実質金利と判断できますので、すべての金利タイプにおいて融資金利は業界最低水準にあると言えるでしょう。

ソニー銀行と同様に、ゆうちょ銀行と提携して住宅ローンの取次ぎも始まっています。ただし、ソニー銀行の場合は商品性、融資金利ともに自行での取扱いと同じ条件ですが、ゆうちょ銀行が代理店として取り扱う新生銀行の住宅ローンは、融資金利がおおむね0.1％低い代わりに、「融資額×2.2％」の融資手数料がかかるため、新生銀行のWebから申し込むほうが有利です。

住信ＳＢＩネット銀行も有利性を持続

ネット銀行などの紹介で「トリ」を務めるのが「住信ＳＢＩネット銀行」です。主力商品は「ネット専用住宅ローン」ですが、提携先金融機関や企業を通して推進するほぼ同じ商品性の「住宅ローン（対面）」も取り扱っており、「フラット35（保証型）」を合わせると３種類のラインナップです。

前者はかつて人気を誇っていましたが、現在の金利水準や商品性から判断すると、「変動金利型」以外は二番手の位置づけ、という評価です。

「10年固定」など、短期から中期の「固定金利選択型」は、特約期間終了後の金利優遇が少ないため、あまり評価できません。「20年固定」など長期の固定金利選択型も金利水準が上げられてしまったため、魅力は低下しました。

長期固定金利タイプで借りたい人は、同社の「フラット35（保証型）」を利用し、変動金利型が希望なら「ネット専用住宅ローン（または対面型）」を選ぶ、というのが基本的な戦略になるでしょう。

とはいえ、ネット銀行のなかでは審査がやさしめだという声も聞こえます。

受験に喩えて言うと、「第一志望校ではないが、第二志望として申し込んでおきたい借入先」のひとつだと捉えています。

●新生銀行のおもな融資金利（新規取得者向け）　（2022年５月１日現在）

	変動金利型	固定金利選択型				全期間固定金利型		
		5年固定	10年固定	15年固定	20年固定	21～25年	26～30年	31～35年
基準金利	1.55%	1.80%	2.00%	2.15%	2.30%	1.25%	1.35%	1.35%
優遇金利	0.65%	0.75%	0.95%	1.10%	1.25%			

※固定金利特約期間終了後の金利優遇は0.7%（変動金利型に移行した場合は0.9%）。
※頭金10%未満の場合、融資金利は「上記＋0.05%」となる（変動金利型を除く）。
※融資手数料は5.5万円。「コントロール返済」（＝繰り上げ返済をして短縮した期間分について、その後、元金据置返済が選択できる制度）等が利用できる「あんしんパック（同11万円）」や、他のサービスも付随した「あんしんパックW（同16.5万円）」等を選ぶことも可能。
※変動金利型には、「変動フォーカス」という別タイプの商品もあり、2022年５月時点の融資金利は「0.45%」で設定されている（ただし、融資手数料は「融資額×2.2%」）。
※変動金利型は、金利が変わるごとに返済額も見直される（125%ルールなし）。
※全期間固定金利型には「ステップダウン金利タイプ」（＝11年目以降、５年ごとに適用金利が下がるタイプ）もある。適用金利は、11年目以降＝「当初のスタート金利×0.9」、16年目以降＝「同×0.8」、21年目以降＝「同×0.7」、26年目以降＝「同×0.6」、31年目以降＝「同×0.5」。借入金額＝2,000万円以上、返済期間＝21年以上で利用可。融資手数料は16.5万円。

●住信ＳＢＩネット銀行のおもな融資金利（新規取得者向け）（2022年５月１日現在）

	変動金利型	固定金利選択型（当初優遇型）						
		3年固定	5年固定	10年固定	15年固定	20年固定	30年固定	35年固定
基準金利	2.775%	2.75%	2.83%	2.66%	3.09%	4.23%	4.09%	4.17%
優遇金利	0.44%	0.77%	0.82%	0.96%	1.39%	1.65%	1.74%	1.82%

※すべて「ネット住宅ローン」の融資金利を表示。
※「当初優遇型」では、固定金利期間終了後は、①２～５年固定＝「基準金利－1.2%（変動金利に移行した場合は1.8%）」、②他の固定金利期間＝「基準金利－0.7%」となる。
※融資事務手数料は「融資額×2.2%」。実質金利は「融資金利＋0.15%前後」となる。
※「全疾病保障（団信）」が無料で付帯しているが、「がん」も含めた全額弁済の要件は厳しい。

51 地方銀行などの住宅ローン

地方銀行や信用金庫、信用組合の住宅ローンは、金融機関や地域によって状況が大きく異なります。全国レベルで見てもかなり魅力的な金利水準の商品を取り扱うところもある一方で、地域によっては有利な商品がなかなか見つからない場合もあります。

地域や業態で、金利水準などは大きく異なる

地方銀行などの住宅ローンは、地域での競争の度合いによって金利水準や商品性が大きく異なっています。最も金利競争の激しいのが、首都圏と東海地方、そして近畿圏でしょう。これらの地域でマイホームを取得する場合は、条件のよい住宅ローンが利用できる可能性が高いはずです。

愛知県では以前から金利水準が低かったのですが、近年は名古屋市を中心に、地元の金融機関よりも隣接する県に本店を置く地銀などの条件が魅力的です。早くから低利の全期間固定金利型を推進してきた岐阜県の十六銀行は、現在、ＨＰで「東海地区で住宅ローンシェアNO.1」とうたっています。

一方、かつては全国一の低金利だった長野県では金利競争が終わりました。関西を除く西日本も変動金利型を中心に金利水準は高めです。固定金利選択型については、固定金利特約期間終了後の条件も確認しておきましょう。また、金利優遇のシステムが「ポイント型」である場合には、最優遇金利での借入れが難しいケースもあり、審査結果によっては保証料がかなり高額となる金融機関もみられます。

地域や金融機関によっては、これまでご紹介した全期間固定金利型や段階金利型などの金利水準が非常に魅力的なところもあります。

いずれの地域でも、キャンペーンとして「がん団信」などの上乗せ金利を引き下げたり、なかには無料でつく金融機関もありますので、金利水準だけでなく、これらの条件も確認しておくべきです。

残念ながら条件のよくない地域でマイホームを取得する方や、借り換えを検討する場合は、「フラット35」を利用するか、全国まんべんなく金利水準が低めのJA（農協）、大手銀行、ネット銀行、または他県に本店を置く地方銀行の支店、といったところに目を向けるのもひとつの方法でしょう。

●地方銀行などの「10年固定」と変動金利型の例（新規取得者向け）

※2022年５月６日現在

金融機関名	10年固定			変動金利型		保証料	融資手数料
	基準金利	優遇金利	11年目～	基準金利	優遇金利		
北海道銀行	3.30%	1.05%	▲1.5%	2.675%	1.175%	不要	無料～
みちのく銀行	4.25%	0.95%	▲2.05%	2.725%	0.875%	不要	（注１）
足利銀行	3.55%	1.20%	▲1.6%	2.625%	0.675%	0.1%～	55,000円
常陽銀行*	3.05%	1.20%	▲1.85%	2.475%	0.625%	0.1%～	55,000円
群馬銀行	3.50%	1.15%	▲1.65%	2.725%	0.725%	0.2%	55,000円
埼玉りそな銀行	3.60%	0.945%	▲1.655%	2.475%	0.47%	不要	（注３）
武蔵野銀行	3.65%	0.95%	▲1.6%	2.725%	0.725%	0.2%	55,000円
東和銀行	3.40%	0.80%	▲1.0%	2.725%	0.615%	0.2%	55,000円～
横浜銀行*	3.05%	0.96%	▲2.09%	2.475%	0.385%	不要	（注３）
さがみ信用金庫	3.12%	1.05%	▲1.0%	2.475%	0.59%	0.2%	33,000円
きらぼし銀行*	3.15%	1.145%	▲2.005%	2.475%	0.47%	不要	（注３）
岡崎信用金庫	3.30%	1.10%	▲1.8%	2.675%	0.675%	0.2%	33,000円
十六銀行	3.05%	0.70%	▲1.55%	2.475%	0.575%	0.2%	66,000円
大垣共立銀行	3.05%	0.75%	▲1.5%	2.475%	0.625%	0.2%	55,000円
滋賀銀行	3.00%	0.90%	▲1.7%	2.675%	0.775%	0.2%	55,000円
京都銀行*	2.80%	1.00%	▲1.8%	2.675%	0.42%	0.2%	55,000円～
京都中央信用金庫	3.20%	1.00%	▲1.8%	2.675%	0.775%	0.2%	55,000円
池田泉州銀行*	3.10%	1.00%	▲2.1%	2.675%	0.575%	不要	（注４）
関西みらい銀行*	3.15%	1.07%	▲2.08%	2.675%	0.595%	不要	（注３）
南都銀行	3.32%	1.02%	▲1.9%	2.675%	0.775%	0.2%	55,000円
紀陽銀行*	3.15%	0.87%	▲2.28%	2.675%	0.395%	不要	（注４）
きのくに信用金庫	3.20%	0.82%	▲1.58%	2.475%	0.445%	不要	（注４）
福岡銀行Ｇ	2.75%	1.00%	▲1.0%	3.075%	0.475%	不要	（注２）
西日本シティ銀行	2.80%	0.95%	▲1.0%	2.725%	0.775%	0.2%	55,000円
大分銀行	3.05%	0.90%	▲1.3%	2.725%	0.65%	0.1%～	55,000円
豊和銀行	3.05%	0.95%	▲1.3%	2.425%	0.85%	0.2%	93,500円

※金利はすべて最優遇金利（長期優良住宅、エコ住宅、県産木材使用、大家族応援等は除いたため、これらのポイント制度があり、該当する場合はさらに下がる金融機関もある）。
※銀行名の横に「＊」印がついているものは、「通期優遇型」の10年固定（他は当初優遇型）。
※保証料は「内枠方式」の原則的な料率。外枠方式（一括払い）も利用可。
※東北、九州地方を中心に最長返済期間を40年などとする動きも広がっている。
（注１）融資手数料型（融資額×1.32%、上限33万円）の金利を表示。
（注２）融資手数料型（融資額×2.2%）の金利を表示。
（注３）融資手数料型（融資額×2.2%＋33,000円）の金利を表示。
（注４）融資手数料型（融資額×2.2%＋55,000円）の金利を表示。
（注５）群馬、武蔵野、京都、関西みらい、福岡銀行Ｇ（福岡銀行、十八親和銀行、熊本銀行）、京都中央信用金庫の各行は、「がん団信」等が上乗せ金利なしで付帯。

SECTION 4

52 労働金庫の住宅ローン

労働金庫は、労働組合員の福利厚生のために設立された金融機関で、現在では全国13のろうきんが、他の金融機関と同じく、預金やローンなどを取り扱っています。労組の組合員でなくても住宅ローンが利用でき、地域によっては有利な条件も提示されています。

労働金庫（ろうきん）の特徴

「ろうきん」の各種サービスは、原則的には加盟労組の組合員を対象としますが、一般の人もおおむね利用できます。住宅ローンについては、

①生協の組合員やろうきんの個人会員になれば利用できる

②各ろうきんの営業エリア内に自宅や職場があれば利用できる

③自営業者でも個人会員になれば利用できる

などのように、各地のろうきんによって対応が異なりますので、利用を検討する場合は、しっかりと確認しておくことが不可欠です。

また、金利水準や保証料の有無（および負担水準）なども、加盟労組の組合員（＝会員組合員）等であるかどうかによって違うのが一般的です。

有利さは地域で異なる

以前から、住宅ローンの金利水準や、金利の設定方式などは、各地のろうきんによって大きく異なっています。共通するのは、年収が150万円以上などで申し込めるのと、審査の基準が基本的には緩やかな点でしょう。また、多くの場合は一部繰上げ返済や、全額繰上げ返済の手数料も無料です。

金利水準は、各地域の準トップクラスで設定されている場合もありますが、当初優遇型の固定金利選択型ローンでは、固定金利特約終了後の優遇状況や見直しルールなどに注意が必要な地域もあります。

昨今では「フラット35」も取り扱う一方で、金利水準の低い全期間固定金利型を取り扱うところもあり、保証料の設定条件によっては「フラット35」より有利な地域もあります。

右ページでは、この２つのろうきんの金利設定例をまとめておきましたので、利用できる地域の方は注釈も含めてご確認ください。

●各地の「ろうきん」

名称	対象地域
北海道ろうきん	北海道
東北ろうきん	青森県、秋田県、岩手県、山形県、宮城県、福島県
中央ろうきん	東京都、神奈川県、埼玉県、千葉県、茨城県、栃木県、群馬県、山梨県
新潟ろうきん	新潟県
長野ろうきん	長野県
静岡ろうきん	静岡県
北陸ろうきん	富山県、石川県、福井県
東海ろうきん	愛知県、岐阜県、三重県
近畿ろうきん	大阪府、京都府、兵庫県、奈良県、滋賀県、和歌山県
中国ろうきん	岡山県、広島県、鳥取県、島根県、山口県
四国ろうきん	香川県、徳島県、高知県、愛媛県
九州ろうきん	福岡県、佐賀県、長崎県、大分県、熊本県、宮崎県、鹿児島県
沖縄ろうきん	沖縄県

●「ろうきん」の住宅ローン金利の例

〈東海ろうきん〉

(2022年5月1日現在)

	変動金利	3年固定	5年固定	10年固定	固定35年	保証料
基準金利	1.54%	1.54%	1.84%	1.69%	2.19%	無料
最優遇金利	0.79%	0.79%	1.09%	0.94%	1.44%	

(注) 最優遇金利は、会員組合員や生協組合員等向けを表示。一般勤労者は「上記+0.1%」。
※固定金利選択型は自動更新（通期優遇型）。
※融資手数料は、会員組合員が22,000円、生協組合員や一般勤労者等は44,000円。
※融資金利は、「融資承認日（1カ月以内）」と「融資実行時」のいずれか低いほうが適用。
※一部繰上げ返済、全額繰上げ返済とも、手数料は無料。
※新築の戸建ての場合、屋根工事の完了時に全額融資実行も可（=つなぎ融資不要）。

〈中央ろうきん〉

(2022年5月1日現在)

	変動金利	3年固定	10年固定	20年固定	固定35年	保証料
基準金利	2.475%	2.40%	2.50%	3.00%	3.10%	0.1〜0.27%
最優遇金利	0.625%	1.00%	1.10%	1.60%	1.25%	※属性等で異なる

(注) 最優遇金利は、会員組合員向けを表示。生協組合員と一般勤労者は「上記+0.1%」。
※固定金利選択型は通期優遇型の適用金利を表示（全期間にわたり、▲1.4%）。
※当初優遇型の「20年固定」の融資金利は1.15%（特約期間終了後の金利優遇=▲0.4%）。
※全期間固定金利型または当初優遇型の「20年固定」と、変動金利型を組み合わせる金利ミックスプランを利用し、前者の割合が30%以上の場合、変動金利型の融資金利は0.575%となる。
※一部繰上げ返済の手数料は無料。融資手数料は組合員等が11,000円、一般勤労者は33,000円。

53 JA（農協）の住宅ローン

JAというと、農家の人が対象というイメージがありますが、最大1万円程度の出資金を支払って「准組合員」になれば、住宅ローンの利用が可能です。「10年固定」を中心に金利水準も低いところが多く、魅力的な「段階金利型」などを取り扱う地域もあります。

地域によっては最も魅力的な設定や商品も

ＪＡ（農協）は、各単位農協ごとに住宅ローンの審査から融資までを行っています。住所等を管轄するＪＡでしか准組合員にはなれませんし、同じ都道府県内でも、地域によって金利水準や商品性が異なる場合がある点をまずは理解しましょう。150〜200万円以上の年収で審査に申し込め、審査基準も厳しくはないと言われています。

主力商品は「10年固定」ですが、昨今では変動金利型に力を注ぐところも増えています。地域の金融機関と競合できる水準で融資水準が設定されており、三大都市圏などでは非常に魅力的な条件となっています。

右ページに示したように、「フラット35」より有利となる「段階金利型」や「全期間固定金利型」を取り扱っているＪＡもあります。

他業態にはない有利な特徴にも注目

ＪＡの住宅ローンには、銀行など他の業態にはない特徴もあります。そのなかでも注目したいのが「留保金制度」でしょう。

土地を取得して住宅を建てる場合などでは、手付金や中間金など複数回の支払いが発生します。この制度は一部の銀行が行う「分割実行」の上位互換版であり、土地・建物の取得段階に応じて必要な資金がその都度借りられます。そのため、「つなぎ融資」を利用する必要がありません。

また、正式審査後、３〜７カ月以内など指定された期間内に借りる場合は、融資の承認日等と実行日のうち低い金利を適用するＪＡも多く見られます。

愛知県と兵庫県のように、貯金残高に応じて住宅ローンの利息がキャッシュバックされる「貯金連動型」のローンを、0.1〜0.3%の上乗せ金利で取り扱う地域もありますので、自分が利用できるＪＡの条件を確認しましょう。

JAの住宅ローンの取り扱い例

●おもな「10年固定」と「変動金利型」(新規取得者向け)

※2022年５月６日現在

ＪＡ名称	10年固定			変動金利型		備考
	基準金利	優遇金利	11年目〜	基準金利	優遇金利	
おやま（栃木）	3.45%	0.775%	▲1.8%	2.725%	0.625%	
さいたま（埼玉）等	3.45%	0.70%	▲1.7%	2.475%	0.60%	
越谷市（埼玉）	3.45%	0.59%	▲1.7%	2.475%	0.52%	
東京みらい	3.50%	0.90%	▲1.4%	2.475%	0.50%	保証料型の例
セレサ川崎（神奈川）	3.54%	0.95%	▲1.4%	2.475%	0.60%	
とうかつ中央（千葉）	3.50%	0.90%	▲1.8%	2.475%	0.495%	
西三河（愛知）	3.54%	（0.68%）	▲1.4%	2.475%	（0.46%）	（３大疾病付）
あいち豊田（愛知）	3.20%	（0.695%）	▲1.6%	2.475%	0.425%	（３大疾病付）
大阪南	2.65%	0.70%	▲1.7%	2.475%	0.625%	
ならけん（奈良全県）	3.28%	0.88%	▲1.875%	2.475%	0.60%	
兵庫六甲（兵庫）	3.05%	（0.72%）	▲1.83%	2.475%	（0.59%）	（３大疾病付）
あかし（兵庫）	3.29%	（0.80%）	▲1.70%	2.475%	ー	（貯金連動型）
広島市	3.00%	0.90%	▲1.4%	2.725%	0.60%	
北九（福岡）	2.40%	0.70%	▲1.1%	3.125%	0.52%	

※金利はすべて最優遇金利（ただし、エコ住宅や子育て世帯などに対する優遇等は除いているため、該当する場合は、さらに0.1%ほど引き下げられるところもある）。
※給与振込・カード・公共料金の口座振替等で、最優遇金利の適用が受けられるケースが多い。
※インターネットバンキング経由で行う場合、一部繰上げ返済の手数料は無料。
※「３大疾病保障付団信」を0.1%の上乗せ金利で利用できる地域やＪＡが増えている。
※最長返済期間を40年とする地域やＪＡもある。
※借入れにあたり、他の金融機関で借入中のマイカーローンや教育ローン等（最大500万円まで）を含めて借りられる制度の推進も広がっている（＝ＪＡおまとめ住宅ローン）。
※ＪＡによって、融資手数料に格差が広がっているため確認が必要（無料〜10万円前後）。

●おもな「段階金利型」(新規取得者向け)

※2022年５月６日現在

ＪＡ名称	金利設定状況				備考
つくば市（茨城）	当初10年	1.00%	11年目〜	1.65%	
あいち豊田（愛知）	当初10年	0.595%	11年目〜	1.30%	３大疾病保障付
あいち中央（愛知）等	当初10年	0.70%	11年目〜	1.30%	
西三河（愛知）	当初10年	0.49%	11年目〜	1.30%	
おちいまばり（愛媛）	当初10年	0.78%	11年目〜	1.12%	融資額×2.2%+33,000円
うま（愛媛）	当初10年	0.77%	11年目〜	1.11%	融資額×1.80%
ＪＡバンク高知県	当初10年	1.20%	11年目〜	1.35%	高知県の全ＪＡ共通
前橋市（群馬）	当初15年：1.04%、16年目〜：1.44%				
新さっぽろ（北海道）	当初３年：0.59%、〜10年目：1.15%、11年目以降：1.55%				

〈参考〉「全期間固定金利型」の例
・ＪＡあいち豊田＝1.20%（三大疾病付＝1.30%）・ＪＡ兵庫西＝0.90%、など

Column

地元の金融機関以外も注目！

信用金庫や信用組合、JA（農協）では、その地域に所在するところでしか住宅ローンを借りることはできません。

一方、地方銀行の場合には、本店所在地が他の都道府県でも、自宅を営業エリアとする支店があれば、住宅ローンの利用が可能です（ただし、「東京支店（丸の内）」などでは取り扱わない場合が多いようです。

たとえば横浜銀行を例に挙げると、同行の変動金利型の融資金利は、給与振込の指定があれば0.385％という低さですし、「10年固定」も優秀です（2022年５月現在。121ページ参照）。これが、東京都内でも中心部～西南の14区と多摩市など11市内であれば利用できるのです。

関西地区でも、約10年前から金利競争を繰り広げた京都の３つの金融機関が、「住宅ローン（借り換え）」の推進を武器に、大阪府などの支店で多くの新規顧客を獲得しました。

人口や成長企業の少ない地域に本店を持つ地方銀行なども、大都市や隣接他県での業務拡大を目指します。住宅ローンは個人顧客にアピールしやすいため、地元の金融機関よりも条件のよい商品や金利水準を提供して、推進を行う場合が多いというわけです。

実店舗を持たないネット銀行ではなおのこと、魅力的な住宅ローンを武器に個人顧客を獲得しようとしています。

昨今ではコンビニのＡＴＭ等を利用することで、無料での入出金がしやすくなっており、無料の自動振替サービスも徐々に広がっています。

金利水準が高い地域などでは、地元の金融機関にこだわるのではなく、選択肢を拡げて検討したいものです。

ただし、情報を得て確認するためには、十分な時間が必要ですので、マイホームの取得を決めてから、慌てて住宅ローンを選ぶのは得策ではありません。その意味では、取得はもう少し先になるという方も、利用したい金融機関や商品を事前にピックアップしておくべきでしょう。

契約後は、あっという間に時間が過ぎてしまいますよ。

SECTION

5

財形住宅融資を利用する

54 財形住宅融資の概要

財形貯蓄を行っていて一定の要件を満たす人が利用できるのが、公的な住宅ローンである「財形住宅融資」です。
勤務先の状況等によって申込み窓口が４つに分かれていますが、融資限度額などの基本的な部分についてはほぼ同じ内容です。

財形貯蓄を行っていることが大前提

財形貯蓄には、①一般財形、②住宅財形、③年金財形、という３つの種類があり、②と③については元利合計等で合わせて550万円までの利子に対する税金が非課税とされます。住宅財形の場合はマイホームの取得等資金として払い出す際に非課税扱いとなりますので、頭金づくりを目的に利用している人も多いでしょう（ただし、取得する住宅の床面積が50㎡以上で、中古住宅の場合には建築確認日が1981（昭和56）年６月１日以後か、新築登記日が1983（昭和58）年４月１日以降である、などの要件を満たす必要があります）。

財形住宅融資は、これらの財形貯蓄のいずれかを１年以上継続して行っていて、その貯蓄残高（３種類の財形貯蓄の合計額で判断）が50万円以上ある人が借りられます。この要件を満たさなかったり、財形貯蓄制度が導入されていない企業で働く人、そもそも財形貯蓄の対象外である自営業者や会社役員などは利用できませんので、他の住宅ローンを借りることになります。

一方、財形住宅融資の利用が可能な場合は、申込み窓口が勤務先の制度などによって４つに分かれているため、自分はどこを通して申し込むのかを、まず確認しておく必要があります（右ページ参照）。

なお、住宅の取得資金に充てるために住宅財形（財形住宅貯蓄）を払い戻す際に、財形住宅融資の申込みを行って承認を得る前に解約してしまうと、融資が受けられなくなりますのでご注意ください。

融資額は、財形貯蓄の残高がベースとなる

同じ財形住宅融資であっても、利用にあたっての細かい条件等は窓口によって異なります。ここでは、統一的な基準を確認しておきましょう。

まず、融資限度額は4,000万円です。ただし、実際の借入金額には財形貯蓄

の残高に応じた制限があり、「財形貯蓄残高×10倍」までとされています。

そのため、財形貯蓄の残高が100万円という人は、この10倍の1,000万円が最大で借りられる金額となります。

取得する物件がまだ決まっていない場合で、財形住宅融資から多く借りたいと考えるなら、勤務先の手続き上、可能であれば、積立額を増額して財形貯蓄の残高を早急に増やす（極端に言えば、この間の生活費は他の貯蓄を取り崩してまかなうくらいのつもりで）、という方法も検討しましょう。

次に、物件価額に対する融資額の上限も設定されており、こちらは9割まで。ただし、フラット35と併用する場合は合計で10割まで利用できます。

これらの要件をすべて満たしたうえで、窓口ごとに設定された収入基準をクリアした場合に、希望額がすべて借りられることになります。

「フラット35」とは異なり、購入や建築する物件に対して複数の人が融資を申し込むことも可能ですが、それぞれの人が前述した要件を満たす財形貯蓄を行っていることが条件です。また、別々に申し込まずに「収入合算制度」を利用することもできます。なお、借り換えで利用することはできませんし、取得する住宅の床面積には一定の制限もあります（次項を参照）。

●財形住宅融資の4つの窓口

財形住宅融資の対象者		申込み窓口
転貸融資	「事業主転貸融資」の制度を導入している企業で働く人	勤務先の担当部署
	財形住宅金融㈱（厚生労働大臣登録の福利厚生会社）に出資する企業の社員	財形住宅金融㈱※1
直接融資	公務員で共済組合等に窓口がある人	（勤務先の）共済組合
	上記のいずれにも当てはまらない人	住宅金融支援機構の取扱い店である金融機関※2

財形転貸融資	勤務先や福利厚生会社が、独立行政法人・勤労者退職金共済機構から資金を借り入れ、従業員に転貸する制度
財形直接融資	住宅金融支援機構や共済組合を通して、利用者が直接的に資金を借り入れる制度

※1 134ページ参照
※2 沖縄県では、沖縄振興開発金融公庫の代理店が窓口になります

55 財形住宅融資の利用条件

引き続き、財形住宅融資を利用する際に共通する諸条件について確認していきましょう。ここでは、返済期間や返済方法のほかに、融資が利用できる物件に対する要件や、勤務先からの負担軽減措置について見ていきます。

「物件」に関する要件と、返済期間等

住宅金融支援機構を通して借りる財形住宅融資では、機構の定める技術基準を満たし、「適合証明書」の交付が受けられる住宅が融資対象となります。

基準を満たすかは、仲介業者や工務店などに確認する必要がありますが、基本的には「フラット35」の技術基準に準ずると理解しておきましょう。

住宅の床面積が、右ページの表の範囲内であることも要件のひとつです。

戸建て住宅の敷地面積に関する制限はありません。中古住宅は、「耐震基準適合証明書」等で一定の耐震性が確認できるか、新築年月日（表示登記日）または建築確認日が128ページで示した日付以降であることも必要です。

返済期間は、新築住宅やリ・ユースプラス住宅と認定された中古住宅では最長35年で、それ以外のリ・ユース住宅は最長25年（すべて80歳完済）です。

返済方法は元利均等返済と元金均等返済から選べ、毎月払いに加えてボーナス払い（借入金額の４割以内）を併用することも可能です。

勤務先からの「負担軽減措置」が必要

財形住宅融資の利用にあたっては、原則として勤務先から５年以上にわたり融資額の１％にあたる額（その額が３万円を超える場合は、年間３万円）以上の援助を住宅手当や利子補給といったかたちで受け取る、などの「負担軽減措置」が受けられることも要件となります。

そのため、住宅金融支援機構の財形住宅融資（財形直接融資）を申し込む際には、申込用紙一式に入っている「負担軽減措置等の証明書」という書類に勤務先の印鑑をもらい、提出しなければなりません。ちなみに、この負担軽減措置によって勤労者が受ける経済的利益に対しては非課税とされていましたが、2011（平成23）年１月１日以降は課税扱いとなっています。

●対象物件の床面積と返済期間の上限

物件の種類等			対象物件の床面積	返済期間
新築	戸建て		70㎡以上280㎡以下	35年以内
	マンション		40㎡以上280㎡以下	
中古	戸建て	リ・ユースプラス住宅	40㎡以上280㎡以下	35年以内
		リ・ユース住宅		25年以内
	マンション	リ・ユースプラス住宅		35年以内
		リ・ユース住宅		25年以内

（注）マンションは、専有面積で判断する

●マイホーム新築のおもな要件

①住宅金融支援機構の定める技術基準に合致する住宅

②土地については、申込み年度の２年前の４月１日以降（たとえば2022年度の場合は、2020年４月１日以降）に取得した土地であれば融資の対象となる。ただし、土地のみに対する融資はダメで、住宅の取得時に合わせて借りる必要がある）

●新築住宅購入のおもな要件

①申込日前２年以内に完成または工事中の住宅（未着工のものを含む）で、建築基準法に定める検査済証が交付される未入居住宅（木造住宅の場合は、一戸建てか連続建てで耐久性向上措置を施している住宅に限る）

●リ・ユース住宅購入のおもな要件

①「フラット35」が利用できる物件、もしくは「リ・ユース住宅適合証明書」において「リ・ユース住宅」のタイプのいずれかに適合すると証明された物件

②２以上の居住室（食事室を含む）、台所、トイレ、浴室がある住宅

56 財形住宅融資の金利

財形住宅融資の最大の特徴は、金利と返済額が５年ごとに見直される実質的な変動金利型ローンだという点です。
そのため将来的な金利上昇リスクは残りますが、公的融資ですので、金利水準は低めで設定されています。

実態は、５年ごとの変動金利型

財形住宅融資の金利は、「５年固定金利制」というネーミングです。「固定」と表記されてはいますが、実際には５年ごとに金利が見直され、それに伴って返済額も変わるしくみですので、民間住宅ローンでいうところの「変動金利５年もの」と言ったほうが正しい認識でしょう。

民間の変動金利型も返済額は５年単位で変わりますが、６年目以降５年間の返済額はどんなに金利が上がっても、直前の返済額の1.25倍が上限となります。一方、財形住宅融資は最大1.5倍まで返済額が増えるシステムですので、直前に金利が急上昇した場合、ダメージは大きくなります。

「フラット35」との併用も１つの方法

過去９年余りの財形住宅融資（住宅金融支援機構を通して借りる「財形直接融資」）の金利推移を、右ページに載せておきました。昨今では、民間の「固定金利選択型ローン」の「５年固定」と同程度の水準で推移しています。

保証料が不要である点や、民間住宅ローンのような優遇金利ではなく、この水準自体が基準金利であることなどはわかりやすいのですが、やはり将来的な金利上昇リスクには懸念も残ります。

そこで検討したいのが、「フラット35」との併用。固定金利と変動金利の組み合わせによるメリットが期待できます。

なお、民間住宅ローンでは、原則として融資実行時の金利が適用されますが、財形住宅融資の当初の適用金利は申込み時点の金利となります。

ちなみに、住宅金融支援機構を通して借りる「財形直接融資」では、機構団信の特約料が、2020（令和２）年10月以降は「フラット35」と同じように金利に内包化されたため、以前より数値が高く表示されています。

●財形住宅融資における金利等の概要

※金利は2022年５月現在

現在の金利水準等	財形直接融資	1.25%（保証料は不要）※下表の注釈も参照
	財形住宅金融㈱	0.75%（保証料が別途必要）※同上
	事業主転貸融資	勤務先で異なる（基準金利は0.75%）
新規適用金利の改定時期	年４回（１月、４月、７月、10月の各１日） ※金融情勢が大幅に変わった場合は途中の見直しあり	
金利の種類と見直し時期	５年固定金利制（５年ごとに、金利と返済額が見直される） ※契約締結後、５年が経過する日の属する月の２カ月前の、１日時点の金利が適用 （例）2022年６月20日締結 → 2027年４月１日の金利が適用	
金利変更後の返済額	直前の返済額の1.5倍を上限として、返済額を見直す	

●財形住宅融資の金利推移

（単位：%）

実施日（年月日）	基準金利	実施日（年月日）	基準金利
2013年１月	1.09	2018年１月	0.79※
４月	0.97	４月	0.79※
７月	1.16	７月	0.79※
10月	1.09	10月	0.83※
2014年１月	1.09	2019年１月	0.79※
４月	1.04※	４月	0.76※
７月	1.03※	７月	0.71※
10月	1.02※	10月	0.65※
2015年１月	0.95※	2020年１月	0.82※
４月	0.98※	４月	0.84※
７月	0.98※	７月	0.84※
10月	0.93※	10月	1.13※※
2016年１月	0.90※	2021年１月	1.13※※
４月	0.84※	４月	1.21※※
７月	0.69※	７月	1.21※※
10月	0.74※	10月	1.21※※
2017年１月	0.83※	2022年１月	1.21※※
４月	0.78※	４月	1.25※※
７月	0.83※		
10月	0.79※		

※おおむね18歳以下の子ども等を扶養する人や、一定の中小企業で働く人は、返済当初５年間にわたり、金利が0.2%引き下げられる。

※※同上。なお、機構団信特約料の内包化で、融資金利は従前より0.28%高く表示されている。

57 申込み窓口ごとのポイント

財形住宅融資には、勤務先等の条件によって複数の申込み窓口があるという点は既に述べました。同じ財形住宅融資ですので、基本的な部分は変わりませんが、細かい条件等を見ると違う箇所もたくさんあります。そのポイントを確認しておきましょう。

事業主転貸融資

前述のように勤務先の社内融資として採用されているのが通常で、返済は給与天引きで行われ、収入基準も事業主（勤務先）が設定します。

返済以外のコストも安いため、負担軽減後の金利水準を中心に、どのような条件になっているか、担当部署に問い合わせてみましょう。

ひとつ心配なのは、社内融資なので将来退職した場合の取扱いがどうなるかといった点。退職金などでローン残高を一括返済する旨の社内規定がある場合はダメですが、勤務先の協力があれば、そのまま独立行政法人・勤労者退職金共済機構に直接返済を続けることも可能です。ただし、退職後に利子補給などを受けることはできませんし、直接返済（債務引受）の申請に当たっては、機構による審査に通る必要があります。

福利厚生会社経由の転貸融資

公務員や特定の団体職員であったり、勤務先が「財形住宅金融㈱」に出資等している人は、財形住宅金融㈱を通して「転貸融資」を利用するのが原則です（ただし、次ページの財形直接融資の利用も可能です）。

厚生労働大臣登録の福利厚生会社である同社は、転貸融資のほかに「フラット35（買取型・保証型）」や、つなぎ融資も取り扱っています。

収入基準は非常に緩やかですが、融資手数料や保証料、毎月の返済手数料などいろいろな諸費用がかかり、一部繰上げ返済の手数料（11,000円）も高い水準です。原則的に加入を求められる団体信用生命保険の保険料も別途かかります（年0.31％程度の負担）。

なお、「フラット35」と併用する場合は、購入価額等に対し、合計で10割までの借入れが可能となっています（事業主転貸融資も同様）。

財形直接融資

財形住宅融資を借りることができる人の割合という点で、最も多いと思われるのが、住宅金融支援機構を通して借りる「直接融資」でしょう。

収入基準は「フラット35」と同じで、住宅ローン以外のすべての返済を含め、年収400万円以上の人は最大35%までとなっています。融資手数料がかからず保証料も不要であるため、基本的なコスト面は非常に優秀なのですが、「適合証明書」が必要となる点が利用する際のネックと言えそうです。

こちらを通して「フラット35」と併用する場合も、両方を合わせて購入価格の10割まで借りることができます。

●財形住宅融資の比較　(2022年5月1日現在)

<table>
<tr><th>申込窓口</th><th colspan="2">住宅金融支援機構の財形直接融資</th><th colspan="2">財形住宅金融㈱の財形転貸融資</th><th>事業主転貸融資
(勤務先が窓口)</th></tr>
<tr><td>申込時年齢</td><td colspan="2">満70歳未満</td><td colspan="2">満66歳以下</td><td>満70歳未満</td></tr>
<tr><td>完済時年齢</td><td colspan="2">80歳以下</td><td colspan="2">80歳以下</td><td>80歳以下</td></tr>
<tr><td>適用金利</td><td colspan="2">1.25%※
(団信込み)</td><td colspan="2">0.75%※</td><td>0.75%が基準※
(事業主で異なる)</td></tr>
<tr><td>保証料</td><td colspan="2">不要</td><td colspan="2">別途必要</td><td>不要</td></tr>
<tr><td>融資手数料</td><td colspan="2">無料</td><td colspan="2">34,100円～53,900円</td><td>無料</td></tr>
<tr><td>その他の費用</td><td colspan="2">なし</td><td colspan="2">月額495円の返済手数料等が必要</td><td>一般的にはなし</td></tr>
<tr><td rowspan="2">収入基準</td><td>年収</td><td>負担率</td><td>年収</td><td>負担率</td><td rowspan="2">事業主が定める</td></tr>
<tr><td>400万円未満
400万円以上</td><td>30%以下
35%以下</td><td>150万円未満
250万円未満
400万円未満
400万円以上</td><td>25%以下
30%以下
35%以下
40%以下</td></tr>
<tr><td>団信保険</td><td colspan="2">機構団信に加入できる(特約料は金利に含まれている)</td><td colspan="2">原則として加入
保険料は残高1,000万円あたり月額約2,600円</td><td>加入は任意</td></tr>
<tr><td>フラット35と併用時の融資上限(合計)</td><td colspan="2">物件価額の10割</td><td colspan="2">物件価額の10割</td><td>物件価額の10割等</td></tr>
<tr><td>返済</td><td colspan="2">口座引き落とし</td><td colspan="2">口座引き落とし</td><td>給与天引き</td></tr>
<tr><td>一部繰上返済の手数料</td><td colspan="2">不要</td><td colspan="2">11,000円</td><td>事業主で異なる</td></tr>
</table>

※18歳以下の子などの扶養者や中小企業勤務者は、当初5年間の金利が0.2%引き下げられる。

58 金利上昇局面での試算例

財形住宅融資は実質的に変動金利型ローンの一種ですが、金利の見直しは５年単位。そのため、半年単位で見直しが行われる民間の変動金利型とは、金利上昇リスクの様相が違ってきます。それぞれについて、具体的な数字で確認してみましょう。

金利上昇局面では、民間よりダメージが少ない

右ページは、３年目から金利上昇が始まるという前提の下、財形住宅融資と民間変動金利型ローンの返済額などの推移を試算した例です。

まず、（１）は一般的な民間変動金利型のケースです。３年目から適用金利は上がりますが、返済額は変わりません。しかし、利息の支払いは増えますので、元金部分の返済に充当される額が減ってしまい、５年後（60回目）のローン残高は当初の予定よりも多くなっています。このケースでは、６年目以降の返済額が25％近く増えるという結果になりました。

一方、（２）の財形住宅融資では、金利が上昇してもしばらく影響を受けません。ローン残高は順調に減り、６年目以降の負担増も緩和されています。

この例では実際の金利を例に試算を行っていますので、２つのローンの返済額には差が出ますが、５年ごとに金利が見直される財形住宅融資のほうが、半年ごとに見直される民間の変動金利型より、金利上昇局面でのダメージは少ないことが理解できるでしょう。

反対に、金利の低下局面では財形住宅融資のほうが不利になるのですが、これから住宅ローンを借りる人にとって、当面は関係のないお話です。

とはいえ、民間の変動金利型は短期金利（政策金利）と連動するのに対し、財形住宅融資は５年もの国債の利回りなどが基準です。試算例のように６年目以降の金利が同じ幅で上がっているとは限りません。

むしろ、市場金利をベースに決まる財形住宅融資のほうが、金利上昇の可能性は高いと考えたうえで、検討する必要があるように思えます。

ちなみに、（３）の例は、金利が上がるたびに返済額も増えるタイプ（ソニー銀行など）の変動金利型のイメージです。最悪の場合、半年ごとに返済額は増えますが、一般的な変動金利型より返済総額は少なくなります。

金利上昇局面での、民間変動金利型と財形住宅融資の比較例

●前提１：借入金額：2,500万円、返済期間：25年

●前提２：適用金利の推移（民間変動金利型は保証料込み）※内枠方式

	1年目	2年目	3年目	4年目	5年目	6年目以降
民間変動金利型	0.825%	0.825%	1.325%	1.825%	2.325%	2.825%
財形住宅融資	1.25%	1.25%	1.25%	1.25%	1.25%	3.25%
民間の金利上昇幅	−	±0	＋0.5%	＋0.5%	＋0.5%	＋0.5%

（１）一般的な民間変動金利型　（単位：円）

回	返済額	利息	元金	ローン残高	適用金利
1	92,250	17,187	75,063	24,924,937	0.825%
25	92,250	25,599	66,651	23,117,519	1.325%
37	92,250	34,035	58,215	22,321,265	1.825%
49	92,250	41,995	50,255	21,624,772	2.325%
60	92,250	40,913	51,337	21,065,497	2.325%
61	114,991	49,591	65,400	21,000,097	2.825%

→　５年後（60回時点）のローン残高は、約2,107万円
→　６年目以降の返済額は、22,741円／月（年間約27万円）の増加
→　その後の金利が変わらない場合、25年間の返済総額は約3,313万円

（２）財形住宅融資　（単位：円）

回	返済額	利息	元金	ローン残高	適用金利
1	97,074	26,041	71,033	24,928,967	1.25%
25	97,074	24,244	72,830	23,201,802	1.25%
37	97,074	23,328	73,746	22,321,901	1.25%
49	97,074	22,401	74,673	21,430,939	1.25%
60	97,074	21,541	75,533	20,604,387	1.25%
61	116,867	55,803	61,064	20,543,323	3.25%

→　５年後（60回時点）のローン残高は、約2,060万円
→　６年目以降の返済額は、19,793円／月（年間約24万円）の増加
→　その後の金利が変わらない場合、25年間の返済総額は約3,387万円

（３）例外的な民間変動金利型のイメージ　（単位：円）

回	返済額	利息	元金	ローン残高	適用金利
1	92,250	17,187	75,063	24,924,937	0.825%
25	97,495	25,599	71,896	23,112,274	1.325%
37	102,696	33,939	68,757	22,247,399	1.825%
49	107,835	41,625	66,210	21,417,921	2.325%
60	107,835	40,200	67,635	20,681,089	2.325%
61	112,893	48,686	64,207	20,616,882	2.825%

→　５年後（60回時点）のローン残高は、約2,068万円
→　金利上昇局面では、返済額が少しずつ増えていく
→　その後の金利が変わらない場合、25年間の返済総額は約3,300万円

Column

マンション一戸に専有面積が２つ？

マンションの広告などでは、各住戸の専有面積が表示されています。「3LDKで75㎡あればまずまずの広さかな」などと考えたりすることも多いでしょう。ところが、マンションの専有面積には２つの計算方法があり、これによって面積も違ってくるのです。

ひとつは「壁芯（カベシン）」といって、壁の中心を基準に計算する方法です。設計上はこちらが使われており、パンフレットなどに書かれている広さや、「フラット35」の面積要件も、この壁芯計算によります。

そして、もうひとつは「内法（ウチノリ）」といって、壁や柱の内側から計算する方法。こちらのほうが実際の居住空間です。区分所有法という法律でも、マンション等の所有者個々の占有権が及ぶ範囲を、壁や床、天井に囲まれた範囲（専有部分）と規定しており、登記上もこの「内法計算」で表示されます。そのため、同じ住宅であるにもかかわらず、「内法計算」による表示は「壁芯計算」よりも若干狭くなるのです。

登記簿上の床（専有）面積が50㎡（167ページで解説するケースでは40㎡）以上ないと、「住宅ローン控除」は受けられません。

パンフレット（壁芯）に記載された面積が、これらの数字をやや上回る広さのマンションを購入する場合は、とくに注意が必要です。

SECTION

6

住宅取得時の必須知識

59 物件広告を見る際の注意点

新聞や住宅雑誌などには、新築マンション等の広告がよく載っています。中古や建売住宅についても、新聞の折込みやチラシなどで見かけることが多いでしょう。そこではたくさんの魅力的な言葉が使われていますが、すべてを鵜呑みにしてはいけません。

住宅ローンに関する注意点

住宅物件の広告やチラシを見ると、「月々６万円台の返済で購入できる」とか、「頭金ゼロでの購入も可能」といった文字が並んでいます。もちろん掲載されている資金計画のとおりに住宅ローンを申し込んで、マイホームを取得することも不可能ではないでしょう。

しかし、そこに書かれている資金計画例は、ほぼ例外なく「最もリスクが高いプラン」です。住宅ローンの返済額が、「変動金利型や短期の固定金利選択型など、当面の金利水準がいちばん低い金利タイプを35年返済で借りる」という前提で計算されているのがその理由。多くの場合は、「100%ローン」（＝頭金ゼロ）を利用する前提にもなっています。安心で有利な資金計画からは、ほど遠いプランが紹介されてしまっているわけです。

自分や家族の状況を念頭に、慎重な資金計画を考えなければなりません。

現地調査は必須

広告やパンフレット等には、間取りやイメージ図、周辺環境の写真なども載っています。非常に魅力的で、すぐにでも買いたいと思ってしまうこともあるかもしれません。しかし、現地の周辺地図を例に挙げると、病院や学校、スーパーなど、あると便利なものばかりが載っていて、墓地や工場など掲載を見合わせたいものは意図的に省かれていたりします。

契約をしたあとで後悔することのないよう、次の点に注意しながら、現地の調査などを行ってみましょう。

①土地勘のないところでマイホームを取得する場合は、面倒がらずに、少なくとも３～４回は現地を訪れて状況を確認し、近所の人からも話を聞く。小さな子どもがいる場合は、学校などの情報も入手しよう。

②中古マンションを購入する際には、隣や上下階に住んでいる人などの情報も要チェック。新築マンションであれば、担当者から、購入予定者についてさりげなく聞いておきたい。
③新築マンションを希望する場合は、モデルルームをたくさん訪れて、目を養っておこう。通常は、最も自信のある部屋タイプがモデルルームとなっているため、そのままのイメージでは考えないほうが無難。また、モデルルームに置かれている家具は、部屋を広く見せる狙いから、通常より小さなサイズとなっている場合が多いことも知っておこう。
④本命と考えている新築マンションであれば、モデルルームの中だけでなく、周辺の状況も確認したい。モデルルームが建設現場と別の場所にあるようなケースでは、現地も必ず訪れるべき。
⑤戸建て住宅を注文する場合は、「見学会」など利用して、建築中の現場や過去に建てた物件を見せてもらう。
……もちろん夢は大切ですが、膨らませ過ぎてはいけません。

勤務先までの所要時間もチェック

新しい住まいを探す場合は、とくに立地が重要です。現在の住まいよりも勤務先から遠くなる場合は、長くなる通勤時間も気になります。

広告などには最寄り駅から物件までの所要時間も載っていますが、徒歩の場合は「80m＝１分」で計算した時間です。駅の入り口から改札までの距離や、信号待ちなどの時間は考慮されていません。

電車などの所要時間も、日中の最短時間である場合がほとんどです。乗り換えなどの時間は含まれていませんので、本当はもっとかかるはず。

一度、通勤時間帯に移動してみたり、Googleマップなどのルート検索を活用するなどして、実際の所要時間を確認しておくべきでしょう。

SECTION 6

60 住宅ローンの借入れの手順

住宅ローンを借りる際には、「事前審査」→「本審査」→「契約」という流れになります。右図のような書類等の提出が求められますので、準備しておきましょう。昨今では、取得する物件等が確定していなくても、Web等から事前審査に申し込める金融機関もあります。

審査で必要となる書類は多い

住宅ローンを借りたい場合、原則的には売買契約や建築請負契約の締結後、金融機関等に「事前審査（仮審査）」を申し込みます（提携ローン等を利用する場合は不動産業者等が申込み手続きをサポートします）。

必要となる書類の種類や提出するタイミングは、金融機関や申込み方法で異なり、取得する物件の種類や申込者の職業などでも少し違ってきます。

「ネット住宅ローン」や、Webで審査の申込みができる住宅ローンでは書類の写しをWeb上に添付するか、郵送するかなどを指定されます。

事前審査の結果は、当日～１週間程度で通知されます。無事に承認されていれば、「本審査（正式審査）」の申込みへと進み、収入などを証明する書類も提出します。事前審査の申告内容に虚偽等があったり、団体信用生命保険の審査に通らなかったなどのケースを除けば、一般的には本審査も承認されるでしょう（ただし、フラット35では取扱機関で承認されても、住宅金融支援機構の審査で不承認となることがあります）。

契約から融資実行までのスケジュール

融資の承認が下りたあとは、申込み本人および連帯債務者が金融機関等に出向いて住宅ローンの契約を結びます。分譲住宅の場合は、「ローン契約会」などの名称で場所と日時が指定されるケースもあります。

これらの手続きが終わったあと、原則的には関係者が金融機関に集まって物件の引き渡しと登記申請、融資の実行（残金決済）が同時に行われます。これにより、新居への入居が可能となります。

ちなみに、「ネット住宅ローン」の場合は、指定された司法書士と面談を行い、抵当権の設定手続きを行うことで、これらの手順が完了します。

●審査や契約の際に必要となるおもな書類

おもな必要書類とその内容		入手先
・事前審査申込書（本審査では、住宅ローンの「借入申込書」） ・個人情報および個人信用情報の取扱いに関する同意書 ・団体信用生命保険申込書兼告知書兼同意書（本審査時） ・健康診断結果証明書（借入金額が5,000万円を超える場合等） ・金銭消費貸借契約書（ローンの契約時）		金融機関
本人確認書類	運転免許証やパスポートのコピーなど	−
収入等を証明するもの（1～3年分）	源泉徴収票、確定申告書の写し、所得証明書、納税証明書など ※金融機関が指定する	勤務先、役場、税務署など
物件に関する資料	売買契約書・建築請負契約書・重要事項説明書などのコピー、不動産の登記事項証明書、検査済証、など	（不動産業者）
他に借入れがある場合	当該融資の返済予定表などのコピー	−
その他	印鑑登録証明書、住民票など	市区町村役場

※このほかに、健康保険証のコピー（勤続年数等の確認用）なども必要となる。

●審査の申込みから融資実行までの流れ（売買契約の場合の例）

事前審査	→承認	本審査	→承認	ローン契約	→	登記申請	担保手続き	＋	資金決済 融資実行	→	入居
当日～約1週間		数日程度		6カ月以内等				（同日）			

※金融機関やローンの種類によって、審査にかかる日数は異なる。
※「ネット住宅ローン」やWeb経由の場合は、申込みや契約後の手順が一部異なる。
※事前審査の申込みから融資実行までの目安は、最短10日～2カ月。

SECTION 6

61 収入などの証明書の準備

希望する住宅ローンが借りられるかは、申込者の状況次第です。収入（所得）を証明する書類としては、本審査の申込み時に公的な所得証明書などが必要となります。複数の金融機関に申込む際には、手間や費用が結構かかることも理解しておきましょう。

給与所得者は市役所等で入手

給与所得者の場合、金融機関が確認したい収入とは、前年に支払われた給与の総額（＝税込み年収）です。この金額がわかる手近な資料は、年末調整の際に会社から受け取る「源泉徴収票」でしょう。しかし、これは公的な収入の証明書ではありません。

正式審査の申込みにあたっては、源泉徴収票だけでなく、市区町村が発行する「所得証明書」（２～３年分）なども必要です。

これらがまだ入手できない時期に申し込む場合は、とりあえず源泉徴収票などで審査が進められ、後日、提出することになります。

自営業者などは、納税証明書等が必要

住宅ローンの利用にあたって必要となる所得などの証明書には、以下のようなものがあり、どれを準備するかを金融機関が指定してきます。

①税務署が発行する納税証明書（所得金額用および納税額用）

②市区町村（市役所、区役所、町村役場）が発行する住民税課税証明書

③市区町村（市役所、区役所、町村役場）が発行する住民税納税証明書

自営業者など確定申告を行っている人は、これらの証明書により、所得金額だけでなく、滞りなく納税がなされているかも確認されるわけです。

このほかに確定申告書、および申告書といっしょに提出した青色申告決算書などの付表の写し（控）も、コピーして提出します。

以上の証明書や申告書の写しは、すべて過去３年分の提出が求められます。

法人の代表者などの留意点

自分で会社を経営している人（法人の代表者など）に対しては、民間住宅ローンでは会社の「決算報告書」（直近3年分）の提出も求めます。

大手銀行やネット銀行を中心に、この間に一度でも赤字の年があると審査自体を受け付けない金融機関もありますので、申込み前に電話や事前相談などで確認しておきましょう。

収入が少ない合算対象者の場合

収入合算で住宅ローンを申し込んだ場合は、合算対象者（妻など）の収入を証明する書類も必要となります。

パート勤務でも合算対象者になれるかは金融機関によって異なり、収入の状況やパート年数、雇用保険への加入の有無などで判断されます（フラット35は継続的な収入であれば合算可）。

合算対象者に納税額がない場合は、税務署ではなく、住所地の市区町村で「市民税・県民税課税（非課税）証明書」の交付を受けましょう。

●所得関係の証明書の例　※どのような証明書が必要かは、金融機関等で異なる

区　分	証明書の種類	発行先など
◆給与所得のみの人	・住民税額決定通知書 ・所得証明書 （収入金額の記載があるもの）	勤務先を通じて配布 市区町村
◆給与以外の所得のみの人 ◆給与所得と給与所得以外の所得の両方がある人 ◆法人の代表者、など	・納税証明書 （所得金額用及び納税額用） ・住民税課税・納税証明書 （納税額の記載があるもの）	税務署 市区町村

SECTION 6

62 保証料の確認

かつて、住宅ローンを組むには、本人が返済できなくなった場合に肩代わりすることを約束する連帯保証人が必要でした。現在では金融機関が指定した保証会社に保証料を支払って保証を委託しますが、融資手数料型（保証料不要）のローンも増えています。

保証会社と保証料

保証（連帯保証）は、民法で定められている制度です。連帯保証人は債務者（ローン契約者）と同等の返済義務を負うことになります。

とはいえ実務上は連帯保証人に通常の返済の請求が来ることはなく、契約者本人の滞納が続き、返済不能となった段階で責任を負うのが原則です。

しかし、債務者に代わって返済しなければならないほど厳しい責任を負う連帯保証人になってくれる人はなかなかいないでしょう。そこで、保証会社が、保証料の支払いを条件に債務保証を行うことになります。

ローンを組む金融機関等によって、保証を行う機関や法人は異なります。

多くの民間ローンでは金融機関が指定する保証会社を利用しますが、複数の保証会社がある場合には、どこに保証を委託するかで保証料の水準が違うこともありますので、しっかりと確認しておきましょう。

万が一、ローンの返済が6カ月以上遅れるようなことがあると、金融機関は契約者に全額返済を求める代わりに、保証会社へ請求します。

これで契約者の金融機関への返済義務はなくなりますが、だからといってローンが消えるわけではありません。今度は、肩代わりした保証会社に対して返済しなければならないのです。

この段階までくると、住宅を任意売却したり競売にかけられたりするケースがほとんどでしょう。

返済が難しくなったら、できるだけ早く金融機関に相談することが大切です。状況によっては返済計画の見直しに応じてくれることもあります。

保証料の水準と支払い方法

保証料の支払い方法には、下の枠内で示した「外枠方式」と「内枠方式」などと呼ばれる2つの種類があり、通常は自由に選べます。

それぞれの負担は、前者では下表の金額が一般的な水準とされていますし、後者の「内枠方式」の場合は融資金利に「＋0.2%」となるのが通常です。

ただし、住宅ローンの種類や審査結果などによっても変わってきます。

公務員などに対しては「＋0.1%」等を設定する一方で、自営業者や同族会社の経営者には「＋0.3%」を原則にする金融機関や保証会社もあります。

「外枠方式」においても、保証会社や審査結果等によっては、通常の2倍以上の水準で設定されているなど、かなり高いケースも存在します。

保証料の負担水準については、あまり確認しない（または一般的な水準と比較しない）という人もなかにはいるようですが、ローンの「実質金利」に影響を与えますので、しっかりチェックしておきましょう。

なお、保証料が不要なタイプの商品では、融資事務手数料が保証料と同程度以上である場合が多い反面、融資金利は若干低いのが一般的です。

扉のカラーページ（P.6〜7）で、選択のポイント等もご確認ください。

●保証料の2つの方式　※名称は金融機関などで異なる

外枠方式	ローンの借入時に、まとまった金額を一括で払うタイプ
内枠方式	保証料分を金利に上乗せし、毎回の返済額に含めるタイプ

●借入金額1,000万円あたりの保証料例（外枠方式）

期間	5年	10年	15年	20年	25年	30年	35年
保証料	45,800円	85,440円	119,820円	148,340円	172,540円	191,370円	206,110円

※上記は代表的な水準。保証会社等によっては、かなり高い場合もあるので注意が必要

（計算例）借入金額：4,000万円、返済期間：30年

→　191,370円×4（4,000万円÷1,000万円）＝765,480円（一括払い）

63 「外枠方式」VS「内枠方式」

保証料が必要となる住宅ローンを利用する場合、「外枠方式」と「内枠方式」のどちらを利用すべきでしょうか？

ここでは、外枠方式の保証料を借入金額に上乗せして借りた場合と、内枠方式を利用した場合の返済総額で比べてみます。

総額で比べれば、「外枠方式」が有利

ローンの保証料には、「外枠方式」と「内枠方式」という2つの種類があることは前項で解説しました。一部の信用組合やJA（農協）などを除けば、どちらの方式で保証料を支払うかは選べるのが一般的です。

この2つの方式を比べると、取得時の諸費用は「外枠方式」のほうが多くなりますが、ローンの返済には影響しません。これに対して、「内枠方式」だと諸費用が少ない代わりに、融資金利が高くなり返済額は増えます。

そこで検討したいのが、「外枠方式」を選び、保証料と同じだけ住宅ローンの借入金額を増やす、という方法です。審査に不安がないことが前提ですが、これなら融資金利は高くならず、自己資金も温存できます。

この方法を利用する場合と、「内枠方式」を比べたのが、右ページの試算例。同じ保証料率であれば、「外枠方式」を選び、借入金額に含めたほうが、毎月の返済額（および返済総額）は少なくなることがわかるでしょう。

一括返済を念頭に置くと、「内枠方式」でもよい

借り換えや売却、退職金による一括返済などで、予定より早くローンの返済が終わると、「内枠方式」ではその後の保証料の支払いもなくなります。

これに対して、外枠方式では保証料の一部が返還されますが、仮に30年返済で借りて10年後に全額返済したケースでは、残り期間に相当する3分の2の保証料が戻るかというと、そうではありません。通常は、かなり割り引かれた額しか返ってこないのです（保証料を借入金額に含めた場合も、一時金で納めたことに変わりはありませんので同じです）。

「外枠方式」のほうが数字上は有利ですが、早い時期に一括返済を行う可能性がある場合は、「内枠方式」を選んでもよいでしょう。

●外枠方式と内枠方式の比較例

〈返済期間25年〉

	外枠方式	内枠方式	差額
本来の借入金額	4,000万円	4,000万円	－
保証料（外枠方式）	69.0万円	0円	▲69.0万円
融資額の合計	4,069.0万円	4,000万円	▲69.0万円
適用金利	1.10%	1.10%	－
保証料（内枠方式）	－	0.20%	＋0.2%
融資金利	1.10%	1.30%	＋0.2%
毎月の返済額	155,198円	156,243円	＋1,045円
年間返済額	186.2万円	187.5万円	＋12,540円
返済総額	4,655.9万円	4,687.3万円	＋31.4万円

〈返済期間30年〉

	外枠方式	内枠方式	差額
本来の借入金額	4,000万円	4,000万円	－
保証料（外枠方式）	76.5万円	0円	▲76.5万円
融資額の合計	4,076.5万円	4,000万円	▲76.5万円
適用金利	1.10%	1.10%	－
保証料（内枠方式）	－	0.20%	＋0.2%
融資金利	1.10%	1.30%	＋0.2%
毎月の返済額	132,997円	134,241円	＋1,244円
年間返済額	159.6万円	161.1万円	＋14,928円
返済総額	4,787.9万円	4,832.7万円	＋44.7万円

※返済総額はいずれも金利が変わらなかった場合の金額。
※「外枠方式」の保証料は一般的な例（保証料率＝0.2%。保証料の目安は147ページ参照）。

〈参考〉上記の30年返済で、15年後に全額返済した場合の例

・外枠方式：①15年間の返済総額＝2,394万円、②ローン残高＝2,206万円
　→　①＋②（15年後の実質的な負担額）＝4,600万円
・内枠方式：①2,416万円、②2,194万円
　→　①＋②＝4,610万円
　→　外枠方式のほうが10万円ほど少なく、多少は保証料も返還される

64 団体信用生命保険への加入

住宅ローンを借りる際に、ローンの契約者（債務者）を被保険者として加入する保険が「団体信用生命保険」（団信）です。
万一、死亡・高度障害となった場合には、保険金でローンが弁済され、家族は住宅ローンの負担から解放されます。

万一の際は、住宅ローンが全額弁済

長期間にわたる住宅ローンの返済中には、契約者本人の死亡や高度障害といった不測の事態が起きないとも限りません。

そのため、民間住宅ローンでは団体信用生命保険（団信）に加入することが融資の条件とされています。保険料は住宅ローンの金利に含まれていますので、別途支払う必要はありませんが、健康状態などの理由から団信に入れない場合は、住宅ローンを借りることもできなくなります。

このようなケースでは、「ワイド団信」と総称される引受緩和型の団体信用生命保険に加入することで、住宅ローンが借りられます。審査基準が緩やかになっているので、こちらなら加入できる可能性は高くなります。

ただし、すべての金融機関が取り扱っているわけではありませんし、加入できる年齢も50歳前後まで。保険料の負担も発生します（住宅ローンの金利に0.2〜0.3%を上乗せして、返済額に含まれます）。

「フラット35」などでは機構団信に加入

一方、住宅金融支援機構を通して申し込む財形住宅融資（機構直接融資）や「フラット35（買取型）」の借入れに際しては、住宅金融支援機構の「機構団信」への加入は任意です。

2017（平成29）年９月までに借りた人は機構団信特約料（保険料）を毎年払っていく制度ですが、これから借りる人は融資金利に含まれています。

団信に加入せずに「フラット35」を借りる場合、融資金利は0.2%低くなります。一般の機構団信では金利に含まれる団信特約料相当分は0.28%なので、不当に思うかもしれませんが、機構によると加入しない人のほうが返済不能になる割合が高いため、このような設定にしているということです。

なお、民間住宅ローンも含め、住宅ローンの契約後に団信に加入することや、入り直すことはできません。ローンの本審査（正式申込み）の際に団信の申込書（兼告知書）もいっしょに提出し、承認を待ちます。

夫婦の共有で取得する場合の団信

ローンの当事者が１人でない場合、団信にはいくつかの選択肢があります。

妻が収入合算者となり、下図のような考え方で登記を行って団信にもこの割合で加入したケースでは、夫の死亡後に、妻には1,000万円のローンが残ってしまいます。通常はローンの負担と違う割合でも加入できるため、夫婦の年収の差が大きい場合などでは、夫だけ入るほうが安心かもしれません。

しかし、ペアローンを利用すると、夫婦がそれぞれのローンで別々に団信に加入しますので、この方法は使えません。

「フラット35」を収入合算で借りる際には、夫婦のどちらかが死亡・高度障害となった場合にローンの全額が弁済される夫婦連生団信（愛称：デュエット）への加入を検討しましょう。民間のペアローンでも、三井住友銀行などでは夫婦連生団信（名称：クロスサポート等）が利用できます。

●「フラット35」の融資金利と機構団信特約料の水準　（2022年５月現在）

機構団信の種類	適用金利	うち特約料相当	加入年齢
一般の機構団信	1.48%（＝①）	0.28%	満70歳未満
夫婦連生型（デュエット）	1.66%（①＋0.18%）	0.46%	満70歳未満
３大疾病保障付	1.72%（①＋0.24%）	0.52%	満51歳未満
（団信未加入）	1.28%（①－0.2%）	－	－

※「特約料相当」は、フラット35の融資金利のうち団信特約料に相当する部分

●夫婦で団信に加入して夫がすぐに死亡した場合の例

借入金額：4,000万円

［年収］

夫	妻
600万円	200万円

３　対　１

→

［住宅ローン］

夫	妻
3,000万円	1,000万円

➡

【夫の死亡後】

夫	妻
0	1,000万円

→　一方、収入合算やペアローンで借りて「夫婦連生団信」に加入した場合は、生存中の妻（または夫）のローン残高も同時に弁済される（ただし、一時所得の対象）

65 「疾病団信」の勘どころ①

死亡・高度障害時に加え、「がん」や「脳卒中」などで一定の状態となった場合も保険金が支払われるタイプの団信があります。本書では、これらの団信を「疾病団信」と呼ぶことにします。加入するかは保障（補償）の内容やコストを確認して判断しましょう。

疾病団信の加入は任意

住宅ローンの返済で死亡よりも厄介なのが、「命は取り留めたが、働くことができず（あるいは収入が大幅に減ってしまい）、医療費の負担も重い」という状態でしょう。これらは通常の団信ではカバーされません。

このようなリスクにも備えることができるのが「疾病団信」です。

住宅ローンの借入れにあたり、疾病団信を付保するかは任意です。加入する場合は次項で解説するコストを負担します。返済の途中で、各疾病ごとに約款で定められた弁済要件に該当すると、保険金や給付金が支払われます。

商品ごとの「弁済要件」を必ず確認！

疾病団信の種類は多岐にわたりますが、右図で示した３つが基本タイプ。すべてに共通する１階部分が、「がん」に対する保障です。

「がん」の弁済要件は医師による「診断確定」のみで、その後の健康状態は一切問われません。ただし、過去にがんと診断されたことがある人は加入できず、いわゆる「上皮内ガン」は弁済対象とならない点に注意が必要です。

次に、２階部分の保障として急性心筋梗塞と脳卒中を付保したのが「３大疾病保障付き」。右ページで解説しているように２階部分の弁済要件はきわめて厳しく、このタイプでの弁済事例のほとんどは「がん」です。

さらに、３階部分として４～６つの重度慢性疾患に対する保障がつくのが「７～９大疾病保障付き」。３階部分に対する弁済要件はさらに厳しく、おおむね１年以上「就業不能状態」が継続しないと、全額弁済は行われません。

注意したいのが、住信ＳＢＩネット銀行の「全疾病保障」（無料で付帯）や、三井住友銀行の「８大疾病保障付き」（46歳以上での加入）など。「がん」も含めたすべての疾病で「就業不能状態」が全額弁済の要件となります。

「疾病団信」の３つの基本タイプ

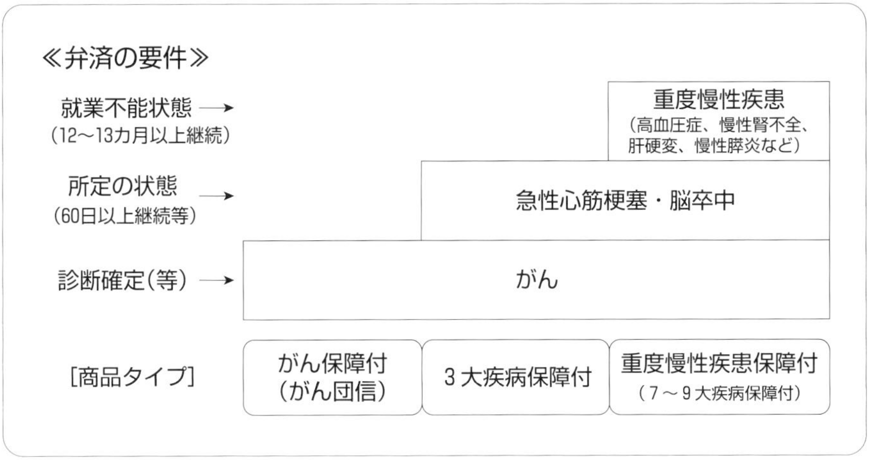

がん保障付き（がん団信）	生まれて初めて、「がん（上皮内がん等は除く）」に罹患したと医師により「診断確定」された場合に全額弁済される。融資日から90日目以内は免責。

３大疾病保障付き	「がん保障」に加え、急性心筋梗塞、脳卒中※を発病し、初めて診療を受けた日から「所定の状態」が60日以上継続したと医師によって診断されれば全額弁済となる（免責３カ月）。※脳梗塞、脳内出血、くも膜下出血

重度慢性疾患保障付き（７～９大疾病）	「３大疾病保障」に加え、所定の重度慢性疾患※による「就業不能状態」がおおむね１年以上継続すると全額弁済される（免責３カ月）。これに先立ち就業不能状態が30日～60日以上継続した場合、毎月のローン返済が免除される（最大で通算３年間）。※高血圧症、糖尿病、慢性腎不全、肝硬変、など

●急性心筋梗塞と脳卒中における「所定の状態」の定義

急性心筋梗塞	「労働制限」を必要とする状態（軽い家事等の軽労働や事務等の座業はできるが、それ以上の活動では制限を必要とする状態）が継続した場合
脳卒中	言語障害や運動失調、麻痺等の「他覚的な神経学的後遺症」が継続した場合

（注）「所定の状態」ではなく、「手術」（住宅金融支援機構／３大疾病保障付）や、「入院」（三菱ＵＦＪ銀行／７大疾病保障付）を弁済要件とするタイプもある。

●重度慢性疾患（および全疾病）等における「就業不能状態」の定義

入院や医師の指示による自宅療養などにより、「本人の経験・能力に応じた、いかなる業務にもまったく従事できない状態」のことを指す。

66 「疾病団信」の勘どころ②

疾病団信に加入する場合は、保険料相当分のコストが発生します。基本的にはローン金利に含める方式が採用されており、商品や金融機関によって上乗せ金利は異なります。「がん団信」は、弁済要件やコストなどの点で加入する価値が高いでしょう。

ローン金利に0.1〜0.3%を上乗せ

金融機関や商品で異なりますが、「疾病団信」に加入できるのは45〜50歳程度まで。住宅ローンの借入金額が3,000万円（もしくは5,000万円）を超える場合は、告知書に加え、健康診断書などの提出が必要になるのが原則です。

疾病団信のコストは、住宅ローンの金利に0.1〜0.3%程度を上乗せして、毎回の返済額に含める方式がほとんどです。大手銀行の一部商品には、毎月の保険料を口座振替で支払うものもありますが、こちらのタイプは加齢により将来的に支払う保険料が増加傾向となります。

「上乗せ方式」による保険料は、性別や年齢などとは関係なく決まります。右ページで試算したように加入コストは許容範囲内と言えそうで、地方銀行などが取り扱う「がん団信」には、とくに注目したいところです。

ただし、保険料方式の疾病団信は途中でやめることもできますが、上乗せ方式の場合は、返済が終了するまで保障を外すことができません。

一部では上乗せ金利の引き下げも

疾病団信の必要性は意見が分かれるところでしょう。女性の場合は乳がんの影響から若年での罹患率が高いため、コストも安い「がん団信」には加入したほうがよいと思われます。一方、男性は死亡原因の約半分ががんとされますが、大部分は60歳代後半でかかるので、返済はほぼ終了しているはず。安心のために加入するという場合は、商品性とコストを確認し、生命保険の見直しも行うことが不可欠です。

実は、疾病団信に加入する際の上乗せ金利は、金融機関から保険会社にそのまま支払われるわけではありません。疾病団信の引受けは外資系生保２社の寡占状態で、一般の団信と疾病団信の保険料自体はほぼ同じ水準。つまり、上乗せ金利は金融機関の利益（手続きのコスト）になるということです。

金融機関が疾病団信の推進に熱心なのはそのためであり、無料で付保しても損失が発生するとは限らないわけです。

地方銀行のなかには、疾病団信の上乗せ金利を下げたり、ゼロにするところもありますし、一部地域のＪＡなどでは競合先との兼ね合いから、上乗せ金利の引き下げ交渉に応じる場合もありました。

●上乗せ金利の目安と、おもな取扱機関

がん保障付	0.1〜0.2%	地方銀行、ネット銀行、JA、など
3大疾病保障付	0.2〜0.3%	都市銀行、地方銀行、ネット銀行、JA、など
重度慢性疾患保障付	0.3〜0.4%	都市銀行、地方銀行、ネット銀行、JA、など

（注）上乗せ金利は金融機関によって異なる。

（注）「がん保障付」は、上乗せ金利なしで付保できる金融機関もあり、上乗せを半分にする代わりに、万一の弁済額もローン残高の50%となるタイプもある。

●「3大疾病保障付き団信」などの例

金融機関等	タイプ	上乗せ金利	加入年齢	健康診断書	備考
住宅金融支援機構	3大疾病	0.24%	満51歳未満	5,000万円超	脳卒中などは手術で弁済。介護保障も付保される
地方銀行(例)	3大疾病	0.2〜0.3%	満50歳以下	3,000万円超	他のタイプも取り扱う
JA	3大疾病	0.1%〜	満50歳以下	(金額による)	9大疾病保障付きもある
三菱UFJ銀行	7大疾病	0.3%または保険料型	(注)	−	急性心筋梗塞と脳卒中は、入院で弁済（上乗せ型）
三井住友銀行	8大疾病	0.3%	満46歳未満	5,000万円超	46〜55歳は商品性が異なる
みずほ銀行	8大疾病	(保険料型)	満56歳未満	−	4種類の保障タイプがある
りそな銀行	全疾病	0.25〜0.3%	満50歳未満	5,000万円超	要介護状態なども保障

（注）金利上乗せ型は50歳、保険料型は56歳の誕生日まで。保障内容や弁済要件も異なる。

●疾病団信の加入コストの目安

※借入金額：1,000万円あたり

毎月返済額等	未加入の場合	医療系団信に加入する場合（金利上乗せタイプ）					
		+0.1%	差額	+0.2%	差額	+0.3%	差額
適用金利	1.00%	1.10%	(0.1%)	1.20%	(0.2%)	1.30%	(0.3%)
35年返済	28,228円	28,697円	+469円	29,170円	+942円	29,648円	+1,420円
30年返済	32,163円	32,625円	+462円	33,090円	+927円	33,560円	+1,397円
25年返済	37,687円	38,141円	+454円	38,599円	+912円	39,060円	+1,373円

※住宅ローンの金利水準や返済期間による差はわずかである。

SECTION 6

67 共有名義の知識と注意点

マイホームを取得したときは、登記を行って土地や建物を自分の名義にします。夫婦で資金を出したり、住宅ローンを組んだ場合は、共有名義で登記を行います。

本項では、共有名義に関するポイントを整理しましょう。

登記をして手続きは完了

不動産の売買では、売り主と買い主の合意によって契約が成立し、代金の決済と同時に所有権が移ります。住宅を新築する場合も基本的には同じです。

しかし、もし売り主が他の人とも契約し、代金を受け取っていたらどうなるでしょう。先に契約し、先に代金を支払ったほうに権利があるかというと、そうではありません。先に“登記したほう”に、権利が認められるのです。

他人に対して土地や建物の所有権などを主張するためには登記が不可欠です。登記が終わって初めて、マイホームの取得は完了したといえるわけです。

資金の負担割合に応じて登記

夫婦がそれぞれ頭金を出したり、共働きで「ペアローン」を利用する（あるいは収入合算で借りる）といったケースでは、自宅を共有名義にするのが原則です。夫だけの名義にすると、贈与税がかかる可能性があります。

共有の割合（＝持分割合）を決める際には、支払った頭金や住宅ローンの割合に基づいて計算をします。

たとえば、4,000万円のマンションを購入した際に、頭金1,000万円のうち夫の預金から400万円、妻の預金から600万円を出したとしましょう。また、夫が2,000万円、妻が1,000万円の住宅ローンをペアローンで個別に借りるという前提にします。

この場合の持分割合は、下記に示したように「夫３：妻２」となります。

夫の負担額／頭金400万円＋住宅ローン2,000万円＝2,400万円
妻の負担額／頭金600万円＋住宅ローン1,000万円＝1,600万円
持ち分割合／夫2,400万円：妻1,600万円＝３（60%）：２（40%）

住宅ローンを夫婦で返す場合

一方、「フラット35」を借りる場合など、「１物件＝１申込み」となっている住宅ローンを利用するケースや、妻の収入も反映させてローンの審査を受けたい、夫の収入だけでも大丈夫だが妻も収入があるので共有登記にしたい、などの場合には、「収入合算制度」を利用して住宅ローンを借りることになります。その際には、夫婦の年収の割合でローンを分けて計算します。

仮に夫の年収が600万円で、妻は400万円、住宅ローンの借入金額が2,000万円、というような場合には、それぞれのローンの負担割合は、夫：1,200万円、妻：800万円（３：２）、となります。

夫の負担分／600万円÷（600万円＋400万円）＝60%
2,000万円×60%＝1,200万円
妻の負担分／400万円÷（600万円＋400万円）＝40%
2,000万円×40%＝800万円

「住宅ローン控除」における注意点

「住宅ローン控除」は、住宅ローンを利用してマイホームを取得した場合に、所得税等が軽減される制度です（162ページ以降を参照）。夫婦でペアローンを借りれば、それぞれがこの「住宅ローン控除」を受けられます。

一方、一人の名義で借りている住宅ローンについては、収入合算の対象者が「連帯債務者」でなければ、二人分の「住宅ローン控除」は受けられません。フラット35は大丈夫ですが、民間住宅ローンでは一部の金融機関を除いて「連帯保証人」の扱いとなってしまう（＝住宅ローン控除が受けられない）商品が多いため、どちらのタイプか確認しておく必要があります。

仮に、夫婦の収入合算で「連帯保証型」の民間住宅ローンを借りて、名義を共有にした場合は、妻が住宅ローン控除を受けられないだけでなく、夫の住宅ローン控除も共有持分に応じた額しか適用されなくなりますので、まさにダブルパンチの状態です。

このタイプの民間住宅ローンでは、収入合算で借りずに、前述の「ペアローン」を利用しましょう。

68 住宅の取得時にかかる税金

〈SECTION 1〉の住宅取得時にかかる諸費用のところでもふれましたが、マイホームを取得する際には、原則として3種類の税金が課せられます。ただし、持ち家の取得を促進する観点から軽減措置もありますので、理解しておきましょう。

印紙税

契約書など、経済的な取引によって作成した文書にかかる税金です。

税務署に現金で納めるのではなく、収入印紙を購入し、それを書面に貼って消印することで納付します。おもな税額を下の表からご確認ください。

●印紙税額の抜粋

契約書の記載金額	工事請負契約・売買契約	住宅ローンの契約
500万円超　1,000万円以下	5,000円	1万円
1,000万円超　5,000万円以下	1万円	2万円
5,000万円超　1億円以下	3万円	6万円

登録免許税

登記の際に納める税金で、住宅の取得時には次の登記を行い、納税します。

①住宅の建築時：所有権保存登記（建物）

②新築住宅の購入時：所有権保存登記（建物）、所有権移転登記（土地）

③中古住宅の購入時：所有権移転登記（建物·土地、マンションは区分所有権）

税額の計算にあたっては、売買価格や工事代金ではなく、土地と既存建物は市区町村が定める固定資産税評価額（＝台帳価格）が、新築建物の保存登記では所在地の法務局が定める「新築建物課税標準価格認定基準額」が課税標準となります。これらは実際の取引価格より低く設定されており、土地は時価の7割程度、建物は建築代金の3分の1～半額程度が目安でしょう。

また、住宅ローンを借りる際には抵当権の設定登記も必要です。登録免許税の税額計算のベース（課税標準）は、住宅ローンの借入金額です。

なお、個人が50㎡以上の床面積（マンションでは、専有面積＋共有部分の持分面積）で、築年数などの要件を満たす住宅（建物）を取得した場合は、下記の軽減措置が受けられます。司法書士に登記を依頼すれば、登記の際に手続きを行ってくれますので確認しましょう。

		登記の種類	本来の税率	軽減措置
新築住宅	土地	所有権移転登記	課税標準×2.0%	課税標準×1.5%
	建物	所有権保存登記	〃 ×0.4%	〃 ×0.15%※1
中古住宅	土地	所有権移転登記	課税標準×2.0%	課税標準×1.5%
	建物			〃 ×0.3%※2
住宅ローン		抵当権設定登記	課税標準×0.4%	課税標準×0.1%

※１　認定低炭素住宅、および特定認定長期優良住宅は0.1%。
※２　「上記※１」と同じ。ただし、特定認定長期優良住宅（戸建て）は0.2%。

●新築建物課税標準価格認定基準額の例（１㎡単価、2021～23年度：居宅）

所在地	木造	軽量鉄骨造	鉄骨造	鉄筋コンクリート造	鉄骨鉄筋コンクリート造
東京都	102,000円	114,000円	124,000円	158,000円	―
大阪府	97,000円	103,000円	113,000円	148,000円	―
愛知県	100,000円	107,000円	118,000円	151,000円	―

不動産取得税

不動産（土地・建物）を取得したときにかかる税金です。課税標準は次のとおりで、税額は「課税標準×３％」です。

①土地：固定資産税評価額(台帳価格)×１／２
②既存建物：固定資産税評価額（台帳価格）
③新築建物：固定資産税評価基準による価格　※固定資産税評価額と同程度

なお、床面積が50㎡以上240㎡以下の住宅（建物）については、課税標準から下記の控除額を引いた金額に税率を掛けるという軽減措置がありますので、通常の広さの住宅であれば非課税となることが多いでしょう。

また、一定の要件を満たした住宅用地にも税額の軽減措置があり、200㎡以下の敷地面積については非課税となるのが一般的です。

●不動産取得税の軽減措置（控除額の抜粋）

	新築住宅		中古住宅（築年月ごとの抜粋）			
	一般住宅	認定住宅	1981.7.1～	1985.7.1～	1989.4.1～	1997.4.1～
控除額	1,200万円	1,300万円	420万円	450万円	1,000万円	1,200万円

SECTION 6

69 住宅取得後にかかる税金

不動産を所有している際にかかる税金には、固定資産税と都市計画税の2つがあります。取得した住宅を持ち続ける限り、毎年納税しなければなりません。いずれも固定資産税評価額をベースとして税額が計算されます。こちらも確認しておきましょう。

固定資産税

固定資産税は、固定資産課税台帳に土地や建物の所有者として登録されている人が納める税金（市町村民税）です。毎年1月1日現在において所有者であれば、その年の途中で売却しても、納税しなければなりません。

中古住宅を買った場合は、固定資産税の納税額を前の所有者と按分します。納税は義務者である前の所有者が行い、所有する期間分の固定資産税を現金で精算するのです。たとえば7月1日に売買（受け渡し）が成立した場合は、年のちょうど半分の期間の所有ですから、その不動産に対する固定資産税額の50%の金額を資金決済日に前の所有者に支払うのが一般的です。

税額は次の計算式から算出されます。標準税率は1.4%とされていますが、財政上特別な必要性のある市町村においてはそれ以上高くすることができるため、自治体によって異なる場合があります。

税額＝課税標準額×1.4%（標準税率）

床面積が50㎡以上280㎡以下の新築住宅では、戸建てが3年間、マンションは5年間（認定長期優良住宅等はそれぞれ5年間と7年間）、120㎡までの床面積に対する固定資産税額が2分の1となる軽減措置があります。

都市計画税

都市計画法で定められた市街化区域内にある住宅や土地が課税対象ですが、市町村によっては課税されないところもあります。

税額計算は次の計算式で行われます。

税額＝課税標準額×0.3%（制限税率）

なお、税率は市区町村の条例で定められ、0.3%より低くすることは可能ですが、0.3%を超えることはできません。

課税標準額と、納付方法

固定資産税や都市計画税を計算する際の基準となる「課税標準額」ですが、３年に一度、各市町村が調査を行い、土地と建物につけた固定資産税評価額がベースとなります（直近では今年度＝2021年度が評価替えの年でした）。

土地の固定資産税評価額は、公示地価（毎年、国土交通省が調査し公表する基準地の価格）の７割程度の水準を目安に設定されていますが、住宅用地の課税標準については軽減措置が設けられています。

この軽減措置によって、固定資産税では、一戸あたり200㎡までの部分は評価額の６分の１、200㎡を超える部分は同３分の１が課税標準となります。

また、都市計画税でも、一戸あたり200㎡までの部分は評価額の３分の１、200㎡を超える部分は同３分の２が課税標準とされる軽減措置があります。

一方、建物の固定資産税評価額は、固定資産税評価基準にもとづいて算出されます。目安としては、建築代金の30％～50％程度になるのが一般的で、既存の建物は経過年数に応じた減価分などを考慮して算出されます。

なお、固定資産税は、毎年５月に納付書が送られてきて、その後、年４回に分けて納めます。

第１回目の納期限までに一括して納める場合、前納報奨金（＝割引）が受けられる市区町村も多かったのですが、現在では財政難などの理由で次々と廃止されました。念のため、取り扱いがあるかを確認してみましょう。

Advice 建物の固定資産税に対する留意点

新築住宅に対しては、左ページのように、一定期間、建物の固定資産税額が最大で半額になる特例があります。

初めはその税額が普通だと思いますから、この期間が過ぎたあとは固定資産税が大幅にアップしてびっくりする人も多いようです。

あらかじめ、理解しておきましょう。

70 住宅ローン控除の概要

一定の住宅ローンを借りて、要件を満たすマイホームを取得した場合に受けられる所得税の減税制度が「住宅ローン控除」です。

2022（令和４）年以降は控除率が0.7%に下がり、取得した住宅の環境性能基準などに応じて控除対象限度額も改正されました。

減税のしくみ

住宅ローン控除は、所得税における税額控除です。控除が受けられる各年の年末時点のローン残高に対し、「0.7%」の控除率をかけて減税の基準額が計算されます（控除対象者や物件、ローン等の要件は167ページ参照）。

2022（令和４）年１月１日以降に住宅を取得した場合、この年末残高には住宅の区分と「環境性能」に応じた控除対象限度額が設定されています。

まず、右ページで示したように、住宅の「区分」が２つに大別されました。

１つめは「新築住宅・買取再販」のグループで、新築に加え、「（税制上の）買取再販」に該当する中古住宅も含まれます。こちらは「不動産業者がしっかりとリノベーションを行った物件」というイメージです。減税効果の大きさをＰＲして販売するはずですので、確認はしやすいでしょう。

一方、「既存住宅・増改築」のグループのうち、前者には消費税が非課税となる「個人間取引の中古住宅」と、「一般的な買取再販住宅のうち、広さや築年数、耐震性などの要件を満たさない物件」が該当します。

控除対象限度額は、住宅の環境性能等で異なる

ローン控除のベースとなる「年末残高」は、基準額に取得した住宅の環境性能（ローン控除では省エネルギー性）に応じた額が加算されています。

仮に「ＺＥＨ水準省エネ住宅」に該当する場合、新築住宅で2023年末までの入居であれば、「基準額（2,000万円）＋加算額（2,500万円）＝4,500万円」が控除対象限度額となり、この額と各年の年末時点のローン残高のうちいずれか低いほうに対して、減税額（上限額）が計算されます。

一方、「ＺＥＨ水準省エネ住宅」に該当する既存住宅（「買取再販」ではない）を取得した場合は、3,000万円の控除対象限度額です（右表⑤を参照）。

●住宅ローン控除の控除対象限度額（年末残高の上限）

取得等する住宅の区分			入居する年				控除期間
			2022年	2023年	2024年	2025年	
新築住宅 買取再販	①	認定長期優良・認定低炭素住宅	5,000万円		4,500万円		13年
	②	ＺＥＨ水準省エネ住宅	4,500万円		3,500万円		
	③	省エネ基準適合住宅	4,000万円		3,000万円		
	④	その他の住宅	3,000万円		2,000万円※1		13年※1
既存住宅 増改築	⑤	認定住宅等（上記①～③と同水準）	3,000万円				10年
	⑥	その他の住宅※2	2,000万円				

※1：2024年以降の控除期間は10年となり、登記簿上の建築日付が2024年7月1日以降の【新築住宅】は2023年末までに建築確認を受けたものを除き適用対象外となる。

※2：登録免許税の特例措置の対象とならない「買取再販住宅」は、こちらに区分される。

（注）東日本大震災の被災者は、控除対象限度額＝上表①と同額、控除率＝0.9%。

●住宅ローン控除における「買取再販（住宅）」とは？

「買取再販住宅」※一般用語	宅建業者が取得した住宅にリフォーム工事を行ってから販売される住宅のこと　※中古物件だが消費税は課税
住宅ローン控除における「買取再販(住宅)」の定義	「取得に係る登録免許税の特例措置」の要件を満たす買取再販住宅、に限定　※おもな要件は下記参照

〈参考〉登録免許税の特例措置（＝軽減）の対象となる「買取再販（住宅）」の要件

・床面積50㎡以上　・個人の居住用　・一定の耐震性（新耐震基準等）を満たす
・取得時点で築後10年超　・宅建業者が取得した後、再販までの期間が2年以内
・当該家屋について、指定されたうちのいずれかに該当するリフォーム工事（50万円を超える省エネ改修工事やバリアフリー改修工事、など）が行われた
・建物価格に占めるリフォーム工事の総額の割合が20%（リフォーム工事の総額が300万円を超える場合には300万円）以上である、など

●「ＺＥＨ水準省エネ住宅」とは？

・省エネ性能において「ＺＥＨ基準」(注)を満たす住宅
・住宅ローン控除においては「断熱等性能等級（断熱等級）5」、かつ「一次エネルギー消費量等級（一次エネ等級）6」、の性能が必要

（注）「ＺＥＨ（ゼッチ）」とは、Net Zero Energy House（ネット・ゼロ・エネルギー・ハウス）を略した用語です。「断熱」性能や「省エネ」性能を向上し、さらに太陽光発電システムなどで生活に必要なエネルギーを創出する等の「創エネ」により、年間の一次エネルギー消費量の収支ゼロを目指した住宅を指します。※ローン控除では「創エネ」の設備は不問とされます。

●「省エネ基準適合住宅」とは？

・「断熱等級4以上」、かつ「一次エネ等級4以上」の性能を有する住宅

SECTION 6

71 ローン控除の上限額の目安

住宅ローン控除による減税額は、「ローンの年末残高×0.7%」が基本です。ただし、前述の控除対象限度額が適用されることに加え、所得税等における税額控除という仕組みなので、各年の最大控除額よりも納付すべき税額が少ない場合は、後者が上限となります。

控除対象限度額から見た上限

年間、および控除期間全体における住宅ローン控除の最大控除額をまとめたのが、右ページの上表です。

2022（令和４）年１月以降、控除率が年末残高の１％から0.7%に下げられたことにより、減税額は従来よりも少なくなってしまいました。

前項で例示した「新築のＺＥＨ水準省エネ住宅（2023年末までの入居）」の場合、各年の控除額は「控除対象限度額（4,500万円）×0.7%＝31.5万円」が上限となります。一方、買取再販以外の「中古のＺＥＨ水準省エネ住宅」であれば、「3,000万円×0.7%＝21万円」が上限です。

控除期間は原則13年ですが、「既存住宅・増改築」に区分される場合と、右ページの上表の④のうち、2024年以降の入居でもローン控除の適用が受けられるケースについては「10年」となります。

納税額を想定した上限額の目安

住宅を取得した人の納付すべき所得税額が上記の額を超えている場合は、その額が実際の控除額となります。

一方、所得税額がこれより少ない場合は住民税からも控除され、こちらの控除額は、①所得税から引ききれなかった税額、②「所得税における課税総所得金額×５％（97,500円が上限）」、のいずれか少ない額となります。

住民税からの控除額も含めたローン控除の上限額（＝目安）を計算して、右ページ下にまとめておきました。

仮に、年収が500万円で、専業主婦の妻と小学生の子ども２人がいる場合、「専業主婦の配偶者＋16歳以上の扶養親族の人数＝１人」ですので、納税額から見た上限額は、この２つが交差する「19.5万円」程度になるでしょう。

●住宅ローン控除の最大控除額

取得等する住宅の区分			2022～2023年入居	2024～2025年入居
新築住宅 買取再販	①	認定住宅	35万円×13年(455万円)	31.5万円×13年(409.5万円)
	②	ＺＥＨ水準	31.5万円×13年(409.5万円)	24.5万円×13年(318.5万円)
	③	省エネ基準	28万円×13年(364万円)	21万円×13年(273万円)
	④	その他	21万円×13年(273万円)	0 or 14万円×10年(140万円)
既存住宅 増改築	⑤	認定住宅等	21万円×10年(210万円)	
	⑥	その他	14万円×10年(140万円)	

※(　)内の金額は控除期間における合計額の最大値。

※上記④に該当する【新築住宅】のうち、登記簿上の建築日付が2024年７月１日以降のものは、2023年末までに建築確認を受けたものを除き適用対象外となる。

●納税額を想定したローン控除の上限額（目安）

給与収入	専業主婦の配偶者＋16歳以上の扶養親族の人数					
	０人	１人	２人	３人	４人	５人
300万円	10.7万円	6.9万円	3.0万円		０万円	
350万円	13.5万円	9.7万円	5.8万円	2.0万円		
400万円	16.7万円	12.9万円	9.0万円	5.2万円	1.4万円	
450万円	20.0万円	16.2万円	12.3万円	8.5万円	4.7万円	0.8万円
500万円	23.4万円	19.5万円	15.7万円	11.8万円	8.0万円	4.1万円
550万円	26.7万円	22.8万円	19.0万円	15.1万円	11.3万円	7.5万円
600万円	30.1万円	26.2万円	22.3万円	18.4万円	14.6万円	10.8万円
650万円	33.4万円	29.5万円	25.7万円	21.8万円	17.9万円	14.1万円
700万円		33.3万円	29.4万円	25.5万円	21.6万円	17.8万円
750万円			33.3万円	29.4万円	25.5万円	21.6万円
800万円				33.2万円	29.4万円	25.5万円
850万円		35.0万円			33.2万円	29.3万円
900万円						33.2万円
950万円						

〈前提条件〉税額計算にあたっては、人的控除と下記の所得控除のみで試算。
・社会保険料控除：給与収入の14.5％と想定（＝年齢：40歳未満）。
・生命保険料控除：所得税＝４万円、住民税＝2.8万円を計上。

（注１）住民税からの控除額と復興所得税分の一部も含めた額で表示しています。

（注２）表示されている額が、「取得等する住宅の区分」に基づく最大控除額を超える場合は、このページの上表に基づく額が限度額となります。

（注３）上記の額よりも「各年における住宅ローンの年末残高×0.7％」が少ない場合は、「年末残高×0.7％」の額が限度額となります。

72 住宅ローン控除の適用要件

住宅ローン控除の正式な名称は、「住宅借入金等特別控除」です。減税の恩恵を受けるためには、マイホームを取得した人や住宅ローン、住宅のそれぞれについて、一定の要件を満たす必要がありますので、しっかり確認しておきましょう。

控除を受けるための要件は？

マイホームの取得にあたって住宅ローンを借りた人は、住宅ローン控除という減税が受けられる、という情報はよく知られています。

しかし、要件を満たさず減税の恩恵が受けられないこともありますので、間違いのないよう確認しておくことが必要です。

「物件」、「住宅ローン」、「人」のそれぞれについて、ローン控除を受けるための要件を右ページにまとめておきました。

まず、「物件」については、中古住宅の築年数要件が撤廃され、新耐震基準等に適合しているかで判断されます。登記簿上の建築日が1982（昭和57）年1月1日以降であれば適合と見なされますので、対象物件は増えました。

「住宅ローン」に関しても右ページのとおりです。仮に控除期間が10年の制度で減税を受けている人が8年目に借り換えた（＝既経過期間は7年）というケースでは、借り換え後の住宅ローンの返済期間が10年以上であれば、残り3年間にわたりローン控除が適用されます。

控除を受ける「人」に関する要件では、改正によって所得要件が合計所得金額2,000万円以下に緩和されています。

譲渡の特例とは重複適用不可

意外と見落とされやすいのが、「買い換え」で住宅を取得した人でしょう。

持ち家を売却して新たに取得した（あるいは新居の取得後に持ち家を売却した）ケースでは、譲渡所得や税額の計算にあたり、いくつかの軽減措置が存在します。しかし、これらの適用を受けた場合は住宅ローン控除のほうが適用されません（＝重複適用不可）。どちらのほうが税制上有利になるのかを計算または相談して、利用する制度を選んでください。

●住宅ローン控除の適用要件

〈取得等する住宅に関する要件〉

入居日	2025（令和７）年12月31日まで。※その後継続するかは未定
用途等	床面積の2分の1以上の部分が専ら自己の居住の用に供されること。 （注）賃貸等に回した場合、ローン控除は受けられない。
住宅の広さ	登記簿上の床面積が50㎡以上であること。 （注）マンションの場合は、専有面積（専有部分の床面積）で判断する。 （注）併用住宅は、店舗や事務所等の部分も含めた建物全体の床面積で判断。 （注）2023（令和５）年12月31日までに建築確認を受けた新築、または建築後使用されたことのない住宅を取得する場合は、40㎡以上50㎡未満でも可。ただし、実際に控除が受けられるのは、控除対象者の住宅ローン控除期間のうち合計所得金額が1,000万円以下の年に限る。
中古住宅の要件※	一定の「耐震基準」に適合する建物であること。 （注）「耐震基準適合証明書」か「建設住宅性能評価書（耐震等級１～３）」での証明、または「既存住宅売買瑕疵担保責任保険契約」の締結が必要。（いずれも取得日前２年以内の調査終了、または契約締結に限る）。 （注）登記簿上の建築日が1982（昭和57）年１月１日以降の住宅を含む。

※築年数に関する要件は撤廃された。

〈住宅ローンに関する要件〉

借入先	金融機関、住宅金融支援機構、地方住宅供給公社、勤務先、建築業者などからの借入れであること。 （注）無利子または利率0.2%未満の勤務先からの借入金は対象外となる。 （注）親族や知人などからの借入金も対象外。
返済期間	10年以上にわたり分割して返済するものに限る。 （注）借り換えで利用した返済期間10年以上の借入金も可（ただし控除が受けられるのは通算10年等の残り期間のみ）。 （注）繰上げ返済等で通算10年未満となった場合は、控除が終了する。

〈控除を受ける人に関する要件〉

所得要件	控除を受ける年分の合計所得金額が2,000万円以下。※改正で引き下げ
居住要件	新築または取得の日から６か月以内に居住の用に供し、控除の適用を受ける各年の12月31日まで引き続き住んでいること。
買い換え	居住の用に供した年とその前２年、後３年（延べ６年間）において、居住用財産を譲渡した場合の「長期譲渡所得の課税の特例（軽減税率や3,000万円特別控除の適用など）」を利用していないこと。

Column

火災保険と地震保険

住宅ローンを借りる際には、火災保険への加入が義務づけられます。保険会社や商品、住宅の種類、構造、地域などでも異なりますが、最長10年分の保険料を一括して支払う契約では10〜40万円に上ります。

住宅ローンを借りる金融機関によっては、毎月払いで加入できたり、団体扱いで割安な保険料が適用されるケースもあります。提携先の火災保険以外で自由に選んで加入することも可能です。

2022年（令和４）年10月以降は、最長契約期間の短縮（５年）による割引率の低下と保険料の値上げにより、負担が増加します。

なお、地震による火災や津波などでは火災保険金がおりませんので、地震保険への加入も望まれます。単独では契約できず、火災保険とセットで入ります。建物・家財とも火災保険の保険金額の30〜50％の範囲で契約し、被災時には損害の程度に応じて全損（100％）、大半損（60％）、小半損（30％）、一部損（５％）のいずれかの補償が受けられます。

●都道府県別の地震保険料（基本料率）

住まいの地域	鉄骨造等	木造等
東京都、神奈川県、千葉県、静岡県	2,750円	4,220円
埼玉県	2,040円	3,660円
徳島県、高知県	1,770円	4,180円
茨城県	1,770円	3,660円
宮城県、山梨県、愛知県、三重県、大阪府、和歌山県、香川県、愛媛県、大分県、宮崎県、沖縄県	1,180円	2,120円
福島県	970円	1,950円
上記以外の道府県	740円	1,230円

※保険金額100万円に対する保険料（保険期間1年、基本料率）。2022年10月から再改定の予定。
※地震保険の算出にあたっては、すべての損保会社で上記の料率が使用される。

〈各種割引〉※重複適用なし

期間	建築年	耐震等級	免震建築物	耐震診断
係数	10%	10〜50%	50%	10%

〈長期割引の係数〉（原則５年）

期間	２年	３年	４年	５年
係数	1.90	2.85	3.75	4.65

〈保険料の例（建物のみ契約）〉

「東京都·木造、保険金額1,000万円」→ 4,220円×10＝42,200円/年（Ａ）
（Ａ）×（90％×4.65）≒176,600円（建築年割引、５年契約、の場合）

SECTION

7

事例で考える実践的住宅ローンの組み方

73 頭金1割未満でのフラット35

フラット35は物件価額等の10割まで借りることも不可能ではありませんが、融資率が９割を超えると借入金額全体に対して高い金利が適用されます。フラット35の利用を９割に抑えてパッケージなどの併せ融資を利用した場合と、どちらが有利か確認しましょう。

「融資率９割超」の利用は避けたい

右ページ上は、物件価額の10割を「フラット35」から借りる資金計画例です。９割超の融資率だと「＋0.26％」の融資金利が適用されてしまうため、2022（令和４）年５月は1.74％（1.48％＋0.26％）の水準でした。

この前提での年間返済額は約153万円。９割超の融資率では通常より厳しく審査が行われますが、今回は問題がないものとして話を進めます。

とはいえ、融資事務手数料を加えたトータル・コスト（約5,435万円）は、借入金額の1.36倍にも上ります。2019（令和元）年10月以降は上乗せ金利が下がりましたが、ダメージはまだ残っています。

一方、下の資金計画例は、フラット35の利用を９割に抑え、残りの１割はフラット35を申し込んだ金融機関等の「併せ融資」でカバーするという方法です。これなら、フラット35の金利が高くなることはありません。

このケースでは、適用金利が通常の住宅ローン金利よりも高い代わりに、融資手数料が不要な金融機関の例（63ページ参照）で資金計画をつくりました。金利上昇リスクは若干ありますが、トータルでは117万円の差が出てきます。

併せ融資はどの取扱機関を選ぶか？

フラット35の「併せ融資」を利用したい場合は、まず、フラット35を申し込む取扱機関が、そもそもこの方法に対応しているかを確認する必要があります。対応があれば、次にフラット35の条件をチェックしましょう。

全体の９割を借りるフラット35の条件がよくないと、効果は下がります。

併せ融資（62ページ）で利用する残りの１割は変動金利型が中心なので、一部繰上げ返済で早く返したいところ。金利水準ではなく、手数料などのコストが低い併せ融資がある取扱機関を選ぶのがポイントです。

取得価格	4,000万円
頭　金	0万円
借入金額	4,000万円

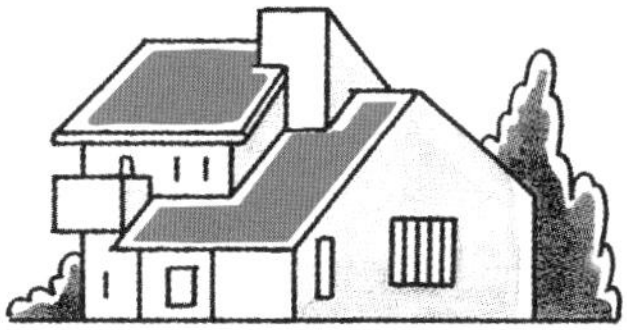

●フラット35（融資率９割超）を借りる場合　　（2022年５月現在）

	融資金利	返済期間	毎月返済額	ボーナス時加算額	年間返済額
フラット35	1.74%	35年	**10万1,784円**	**15万3,077円**	**152.8万円**

※毎月返済分：3,200万円、ボーナス分：800万円

〈トータルコスト〉

返済総額	保証料	融資手数料	トータル
5,346.5万円	0円	88.0万円	5,434.5万円

→　**融資金利（1.74%）は、本来の水準（1.48%）＋上乗せ金利（0.26%）**

フラット35の利用を9割以下に抑えると…

●フラット35パッケージを利用した場合　　（35年返済）

	借入金額	融資金利	毎月返済額	ボーナス時加算額	年間返済額
フラット35	3,600万円	1.48%	**８万5,457円**	**14万6,842円**	**131.9万円**
併せ融資	400万円	2.725%	**１万4,786円**	**0円**	**17.7万円**
合　計	4,000万円	（1.60%）	**10万　243円**	**14万6,842円**	**149.7万円**

※フラット35は、毎月返済分：2,800万円、ボーナス分：800万円

〈トータルコスト〉

返済総額	保証料	融資手数料	トータル
5,238.1万円	0円	79.2万円	5,317.3万円

→　**この例では、併せ融資のコストは登記費用と印紙代のみ**
→　**「フラット35パッケージ」なので、申込みは１つで済む**
→　**上記との差は約117万円。併せ融資の金利上昇リスクはまず問題ない**

74 フラット35 VS ペアローン

夫婦共働きで借入れを行いたい場合は、収入合算制度を利用するか、民間住宅ローンで利用できる「ペアローン」で夫婦が個別に借りるかのいずれかの方法になります。トータル・コストやそれぞれのメリット、デメリットを確認して判断しましょう。

「フラット35」では夫婦連生型団信も利用可

右ページ上の資金計画は「フラット35」から借りる例です。

フラット35はペアローンでの利用ができませんので、収入合算を利用して、団信は「デュエット」（夫婦連生型）に加入する前提です。

「デュエット」の上乗せ金利（0.18%）が加算されるため、このケースでのフラット35の融資金利は1.66%（1.48%＋0.18%）になります。

夫だけが一般の機構団信に加入することもできますが、その場合には妻の死亡時は弁済がまったく行われません。

「ペアローン」のほうが選択肢は広い

一方、下の資金計画例は、民間住宅ローンを利用して夫婦それぞれが借りるプラン。扉の８ページなどでもご紹介した「ペアローン」です。

夫は比較的条件のよい金融機関の全期間固定金利型（融資手数料型、1.40%）で借りて、妻は変動金利型（同：0.475%）を利用する前提にしてあります。

上の例と比べるために返済期間は30年で統一しましたが、夫婦で別にしても構いません。ローンの金利タイプを変えたため、夫婦全体で見た場合には「金利ミックスプラン」の効果も得られます。

上の試算例と比べると、「トータル・コスト」では607万円もの差が出ています。妻のローンは変動金利型なので金利上昇リスクはありますが、十分カバーできそうですし、返済期間を短くして対応することも可能でしょう。

ただし、「デュエット」では夫婦の一方が亡くなると全額弁済されますが、「ペアローン」で一般団信を利用すると亡くなった人の残高分しか弁済されません。夫の死亡リスクを軽減したい場合は夫のほうが多く借りる資金計画か、ペアローンで連生団信が利用できる金融機関を選ぶと安心です。

取得価格	6,000万円
頭　金	1,000万円
借入金額	5,000万円
年　収	夫婦とも500万円

●フラット35を収入合算で借りる場合　　（2022年５月現在）

	融資金利	返済期間	毎月返済額	ボーナス時加算額	年間返済額
フラット35	1.66%	30年	**13万4,082円**	**25万4,728円**	**211.8万円**

※毎月返済分：3,800万円、ボーナス分：1,200万円

〈トータルコスト〉

返済総額	保証料	融資手数料	トータル
6,355.3万円	0円	110.0万円	6,465.3万円

→　機構団信を「デュエット」（夫婦連生型）にすると安心だが、金利は高くなる

→　団信を「デュエット」にしない場合、融資金利は1.48%となり、返済総額は157万円ほど少なくなるが、死亡時のリスクが残る

民間住宅ローンで借りると…

●ペアローンを利用した場合（例）　　※返済期間は夫婦とも30年

	借入金額	融資金利	毎月返済額	ボーナス時加算額	年間返済額
夫のローン	2,500万円	1.40%	**６万4,665円**	**12万2,810円**	**102.2万円**
妻のローン	2,500万円	0.475%	**５万6,637円**	**10万7,412円**	**89.4万円**
合　計	5,000万円	(0.94%)	**12万1,302円**	**23万　222円**	**191.6万円**

※夫婦とも、毎月返済分：1,900万円、ボーナス分：600万円

〈トータルコスト〉

返済総額	保証料	融資手数料	トータル
5,748.2万円	0円	110.0万円	5,858.2万円

→　登記費用や印紙税で、借入コストは10万円ほど多くかかる

→　トータル・コストは上記と比べて最大で607万円ほど少なくなる

75 ダブルフラット VS ペアローン

フラット35には「ダブルフラット」という制度があることはすでにお伝えしました。若い世代で返済に余裕がある場合、将来の教育費や老後を見越して利用するのは賢明な方法でしょう。一方、ペアローンを利用しても、同じような効果を得ることができます。

「ダブルフラット」の活用

右ページ上の資金計画例は、「ダブルフラット」を利用する場合の例です。将来の子どもの教育費の負担を念頭に、１本の借り入れは「フラット20」の15年返済にするというプランです。

こちらの返済が終わる16年目以降は「フラット35」の返済だけですので、「フラット20」の返済分（年間約74万円）は教育費に回せます。

老後を念頭に利用する場合は、たとえば「フラット35」を35年返済と25年返済の２本にして利用するといったプランも考えられるでしょう。

「ペアローン」で同じように借りた場合は？

一方、下の資金計画例は、「ペアローン」で借りて、夫婦の返済期間を変えた場合のものです。妻に一定の収入がなければこのプランは利用できませんが、昨今の若い世代はクリアできることが多いでしょう。

「ダブルフラット」との比較を目的とした試算なので、今回も夫は全期間固定金利型で借りる前提とし、妻のローン（変動金利型）は、上図で試算した「フラット20」と同じく15年返済で設定しています。

試算結果を見ると、「トータル・コスト」はこちらのほうが約233万円少なくなりました。妻のローン（変動金利型）は金利上昇リスクがありますが、返済期間が15年と非常に短いため、リスクはかなり少ないと判断してよいでしょう。ただし、「ペアローン」ですので、夫婦のどちらかが死亡しても、ローンは亡くなった人の分しか弁済されません。

筆者はダブルフラットを非常に高く評価していますが、ペアローンが利用できる場合は、金利タイプなどの選択肢も広がりますので、いろいろと検討してはいかがでしょうか。

取得価格	5,000万円
頭　金	1,000万円
借入金額	4,000万円

●「ダブルフラット」を利用する場合　（2022年５月現在）

	融資金利	返済期間	毎月返済額	ボーナス時加算額	年間返済額
フラット35	1.48%	35年	７万6,301円	９万1,776円	109.9万円
フラット20	1.35%	15年	３万6,840円	14万7,736円	73.8万円
合　計	(1.448%)	―	11万3,141円	23万9,512円	183.7万円

※フラット35の借入金額は3,000万円（毎月返済分：2,500万円、ボーナス分：500万円）
※フラット20の借入金額は1,000万円（毎月返済分：600万円、ボーナス分：400万円）

〈トータルコスト〉

返済総額	保証料	融資手数料	トータル
4,953.4万円	0円	88.0万円	5,041.4万円

民間住宅ローンで借りると…

●ペアローンを利用した場合（例）

	借入金額	融資金利	毎月返済額	ボーナス時加算額	年間返済額
夫のローン	2,500万円	1.40%	６万　261円	９万　596円	90.4万円
妻のローン	1,500万円	0.475%	５万7,569円	17万2,872円	103.7万円
合　計	4,000万円	(1.05%)	11万7,830円	26万3,468円	194.1万円

※夫のローンは、毎月返済分：2,000万円、ボーナス分：500万円（35年返済）
※妻のローンは、毎月返済分：1,000万円、ボーナス分：500万円（15年返済）

〈トータルコスト〉

返済総額	保証料	融資手数料	トータル
4,720.0万円	0円	88.0万円	4,808.0万円

→　**年間返済額は上記と比べ、当初は＋10.4万円、16年目以降は▲19.5万円**
→　**金利上昇がなければ、トータルでは上の例より233万円ほど軽減**
→　**妻のローンは返済期間が15年なので、金利上昇リスクは少ない**

76 返済期間が短くできるケース

購入価格が安い場合や、自己資金が多く出せたり、残高の減ったローンを借り換える際などでは、住宅ローンの借入金額が少なくてすむケースもあるでしょう。このような場合ほど、返済期間も含めてローンを検討することが大切です。

固定金利と変動金利、どちらを選ぶべき？

昨今では、全期間固定金利型である「フラット35」の融資金利が1.2%程度以下になると利用者が増加し、1.4%以上の水準だと変動金利型が多くなる、といった傾向も見られるようです。

一方、返済期間の観点では、30年以上なら長期の固定金利型、20年以下であれば金利水準の低い変動金利型、というのがセオリーでしょう。

25年返済は最も悩ましい返済期間かもしれません。

「変動金利＋期間短縮」という選択肢も

右ページの上図は、「フラット35」を25年返済で利用したケースです。

借入金額が少なく、返済期間も長くないため、無理のない資金計画と言えますが、他の金利タイプとも比べておきたいところです。

民間の変動金利型のうち、金利水準が低いところで借りた例が下図です。金利上昇リスクを勘案して返済期間を５年短い20年にしたこともあり、トータル・コストは約357万円少ないという結果になりました。

上図で「フラット20」（1.35%）を20年返済で借りるケースでも、トータル・コストは約2,794万円です。仮に６年目以降の適用金利が１%上がったとしても、下図の変動金利型のほうが有利。金利上昇がなければ、住宅ローン控除の恩恵で、返済当初は実質的にマイナス金利で借りている状態です。

変動金利型ローンには金利上昇リスクがありますが、返済期間が短いほど、また金利上昇までの時間が長いほど、リスクは少なくなります。

金利上昇がかなり先になると思うなら、変動金利型の金利水準が最も低い金融機関で借りて、将来金利が上がった場合はそのときに有利な金融機関で借り換える、という戦略もアリでしょう。

取得価格	3,000万円
頭　金	600万円
借入金額	2,400万円

●フラット35を利用する場合　（2022年５月現在）

	融資金利	返済期間	毎月返済額	ボーナス時加算額	年間返済額
フラット35	1.48%	25年	**７万9,799円**	**９万6,002円**	**115.0万円**

※毎月返済分：2,000万円、ボーナス分：400万円

〈トータルコスト〉

返済総額	保証料	融資手数料	トータル
2,874.0万円	0円	52.8万円	2,926.8万円

→　**仮に20年返済だと、年間返済額は137.1万円となる（融資金利は1.35%）**

→　**この前提でのトータル・コストは約2,794万円**

民間住宅ローンで借りると…

●変動金利型で返済期間を短くした場合（例）　（返済期間：20年）

	借入金額	融資金利	毎月返済額	ボーナス時加算額	年間返済額
変動金利型	2,400万円	0.475%	**８万7,370円**	**10万4,943円**	**125.8万円**

〈トータルコスト〉

返済総額	保証料	融資手数料	トータル
2,516.7万円	0円	52.8万円	2,569.5万円

→　**返済額は年間10.8万円増えるが、トータル・コストは約357万円少ない**

→　**６年目以降に１%の金利上昇が起きても、トータル・コストは2,714万円。20年返済で借りる場合の「フラット20」より少ない額で収まる**

→　**返済期間が20年なので、金利上昇リスクは高くはない**

→　**この例に限らないが、返済当初の適用金利が0.7%以下のときには、住宅ローン控除の恩恵で実質的な借入金利がマイナスとなる**

SECTION 7

77 土地を先行取得して住宅を建てるケース

戸建て住宅を希望する人の中には、自分で土地を探して、建物は気に入った住宅メーカーや、地元の工務店に発注したいという人も多いでしょう。実は筆者もこの方法でマイホームを取得したのですが、確認しておかなければならない点は多いといえます。

「土地代」の融資をどう受けるかがポイント

すでに住宅の敷地があったり、手持ち資金で購入できる場合はさておき、土地を先行取得してから建物を建てる、というケースでは、土地代をどのように借りるかが重要なポイントになります。

まず、「フラット35」も民間住宅ローンも、単に土地だけを購入する場合には融資をしてくれません。後者では、購入後、一定の期限（おおむね半年～１年）までに住宅を建築することを条件に、土地の先行取得に対しても、住宅ローンとして融資を行っています。

土地の売買契約時にローンの事前審査を申し込む際には、建築代金は工務店などからもらった見積書の金額で行います。あとから変更する場合は正式審査の際に融資限度額なども含めての相談対応となります。土地代と建物代は個別の契約となり、後者で複数回での分割実行が受けられるかは金融機関で異なります。なお、建築（建物への抵当権設定）の２年前までに先行取得した土地分のローンも、住宅ローン控除の対象となります。

一方、「フラット35」などでは、申込日の前々年度の４月以降に取得した土地であればその取得代金も融資の対象とされます。ただし、実際に資金が受け取れるのは建物の完成後になりますので、土地の購入代金や、建築にあたっての着手金、および中間金の支払いには間に合いません。

したがって、これらも含めて「つなぎ融資」を利用し、「フラット35」の資金で一括返済する、という手順になります。

これは、住宅ローンの資金がおりるまでの「つなぎ」として利用する、おおむね１年以内の融資です。昨今では、「フラット35」の利用を前提とした「つなぎ融資」を扱うところも多くなりました。気に入った土地に、こだわった住宅を建てたいという人は、早くから情報を集めましょう。

土地代金	2,000万円
建物代金	2,500万円
頭　金	900万円
借入金額	3,600万円

●資金計画例①〈民間ローンで土地代と建物代の融資を順次受ける場合〉

	融資金利	返済期間	毎月返済額	ボーナス時加算額	年間返済額
土地代	1.0%	25年	4万5,224円 （元金1,200万円）	9万 615円 （元金400万円）	72.4万円
建物代	1.0%	25年	6万 299円 （元金1,600万円）	9万 615円 （元金400万円）	90.5万円
合　計	—	—	10万5,523円 （元金2,800万円）	18万1,230円 （元金800万円）	162.9万円

※固定金利選択型ローン（10年固定）で借りた場合の例
※融資の実行時期が異なるため、金利は同じとは限らない
※建物代金の支払いにあたって、下記の「つなぎ融資」と同じように複数回に分けて融資が行われる「分割融資」が利用できる前提。

あるいは、「つなぎ融資→フラット35」

●「つなぎ融資」の利用例

おもなコスト	・融資事務手数料（初回）：110,000円、印紙税×回数 ・金利：2.64%
1回目（土地取得費用） 6～12月（194日） 借入額：1,600万円	・融資事務手数料　：110,000円 ・印紙税　：20,000円 ・利息（1,600万円×2.64%÷365日×194日）　：224,508円 小計（融資額から差引き）：354,508円
2回目（着工金） 8～12月（133日） 借入額：750万円	・印紙税　：10,000円 ・利息（750万円×2.64%÷365日×133日）　：72,147円 小計（融資額から差引き）：82,147円

※「つなぎ融資」の金利は金融機関で異なり、住宅ローンより高く設定されている。
※「つなぎ融資」のコスト（抵当権の仮登記費用等や、団信に加入する場合の保険料の負担の有無）なども金融機関で異なる。
※建築代金の支払い方法は工務店や住宅メーカーで異なり、手付金（契約時）、1回目の中間金（上棟時）、2回目の中間金、最終回（引き渡し時）など、3～4回が多い。

78 中古住宅の取得＋リフォーム

中古のマンションなどを購入し、リフォームをしてから入居したいと思っても、以前は自己資金で対応するしかないのが現実でした。
しかし、現在では、リフォーム代金もいっしょに貸してもらえる住宅ローンやシステムが登場しています。

「リフォーム一体型」の住宅ローンに注目

リフォームを行う際には、「リフォームローン」という商品が利用できます。昨今では１％台の優遇金利を設定する金融機関もありますが、一般的には２～３％台の水準です。何より、返済期間が10～15年以内と短いため、数百万円の借入金額であっても毎月の返済額は結構な負担になってしまいます。

そのため、中古住宅を取得してリフォーム後に入居する場合、工事代金は自己資金でまかなうケースが多かったのです。

しかし、現在では、リフォーム代金も住宅ローンに含めて貸りられる金融機関がかなり増え、住宅の購入代金とリフォーム費用の両方について、分割実行で対応してくれる金融機関も多くなりました。

これらの「リフォーム一体型ローン」では、金融機関との個別相談が原則となりますが、利用しやすい環境は広がっています。

「フラット35」では「リノベ」を利用

一方、「フラット35」を借りて中古住宅を取得したい人が見逃せないのが、56ページで紹介した、「フラット35（リノベ）」という制度です。工事代金も合わせて借りることができ、借入金額が「購入価額等＋リフォーム代金」の９割以内であれば、融資金利が高くなることもありません。

一定の性能向上リフォームを行う場合は工事費用が増える可能性が高まりますが、返済当初は金利引き下げ制度の適用が受けられますので、メリットは大きいと言えます（「金利Ａプラン」では最長10年間、▲0.5％）。

ただし、「フラット35（リノベ）」は、取扱機関が少ないのがネックとなってしまいます。仲介業者よりも、リフォーム工事を行う工務店などのほうが情報を持っている可能性もありますので、相談してみましょう。

購入価格	3,000万円
リフォーム代金	1,000万円
頭　金	500万円
借入金額	3,500万円

●資金計画例①〈民間住宅ローンを利用した場合〉

(2022年５月現在)

	融資金利	返済期間	毎月返済額	ボーナス時加算額	年間返済額
固定金利型	1.47%	25年	**11万1,587円**	**16万7,805円**	**167.5万円**

※毎月返済分：2,800万円、ボーナス分：700万円

〈トータルコスト〉

返済総額	保証料	融資手数料	トータル
4,186.6万円	60.4万円	3.3万円	4,250.3万円

→ **全期間固定金利型の例（みずほ銀行「中古・リフォーム一体型」の例）**

→ **実際には、購入分とリフォーム分での分割融資となる**

VS

●資金計画例②〈「フラット35（リノベ）」を利用した場合〉

※「金利Ａプラン」が利用できる例（2022年５月現在）

	融資金利	返済期間	毎月返済額	ボーナス時加算額	年間返済額
フラット35（リノベ）	0.98%	当初10年	**10万5,270円**	**15万8,190円**	**158.0万円**
	1.48%	11～25年	**10万9,186円**	**16万4,214円**	**163.9万円**

※毎月返済分：2,800万円、ボーナス分：700万円

〈トータルコスト〉

返済総額	保証料	融資手数料	トータル
4,037.6万円	0円	77.0万円	4,114.6万円

→ **「金利Ａプラン」では、当初10年間、0.5%の金利引き下げが受けられる**

→ **「フラット35（リノベ）」を利用する場合、「つなぎ融資」のコストがかかる**

※上図の例でも分割実行分の利息が生じるため、負担増は手数料部分等で済む

→ **フラット35の申込み前に、リフォーム工事の請負契約等が必要**

→ **「フラット35（リノベ）」は取扱機関が少ないのが難点**

79 おすすめの「ミックスプラン」

異なる金利タイプを組み合わせて借りる「ミックスプラン」については、108ページでポイントを解説しておきました。

本項では、具体的な資金計画をイメージするとともに、注目したい金融機関や勘どころなどを確認しましょう。

固定・変動ともに金利水準が低い金融機関は？

ミックスプランの利用目的は、「金利リスク」の軽減にあるのですが、実際には、どうしても１つの金利タイプに決められない場合のオアシスのような存在になっているようです。

その場合は、とにかく「分散投資（＝ポートフォリオ）」の効果を拠り所にして、変動金利型と長期の固定金利型の２つとも金利水準が低い金融機関のなかから利用する商品を選びましょう。

昨今では後者の金利を高くしたところが増えたため、候補となる金融機関は減りました。大手銀行やネット銀行なら、執筆時点では三菱ＵＦＪ銀行やみずほ銀行、りそな銀行、新生銀行などに注目です（109ページ参照）。

独自の商品性を設定するところもある

ミックスプランの商品性は、基本的に統一されています。しかし、なかには原則と異なるしくみを採用している金融機関もあります。

たとえば、返済期間については２本のローン契約とも同じ期間にする必要がありますが、新生銀行などでは異なる期間も選べます。

また、契約自体も通常は２本となるのですが、りそな銀行等では、ＨＰで「ローン契約」、「抵当権設定契約」ともに１契約にし、「２口での借入」にする方法を採用していると謳っています。２本のローン契約でコストが高くなるというミックスプランのデメリットが解消されたわけです。

右ページの下図は、りそな銀行の「金利ミックスタイプ」で、変動金利型と全期間固定金利型（返済期間30年）を選択した場合の資金計画例です。

どちらの融資金利も業界最低水準で設定されており、執筆時点では新生銀行に次ぐ最強ミックスプランのひとつとして注目しています。

取得価格	5,500万円
頭　金	700万円
借入金額	4,800万円

●フラット35を利用する場合　（2022年５月現在）

	融資金利	返済期間	毎月返済額	ボーナス時加算額	年間返済額
固定金利型	1.48%	30年	**13万7,664円**	**16万5,601円**	**198.3万円**

※毎月返済分：4,000万円、ボーナス分：800万円

〈トータルコスト〉

返済総額	保証料	融資手数料	トータル
5,949.5万円	0円	105.6万円	6,055.1万円

→　全期間固定金利型の「フラット35」には、金利上昇リスクはない

→　返済に不安がなければ、このプランでも問題はないが…

りそな銀行（融資手数料型）の
「金利ミックスタイプ」を利用すると…

●りそな銀行の「金利ミックスタイプ」の例　（2022年５月現在）

	融資金利	返済期間	毎月返済額	ボーナス時加算額	年間返済額
30年固定	1.195%	30年	**６万6,134円**	**７万9,526円**	**95.3万円**
変動金利型	0.47%	30年	**５万9,575円**	**７万1,555円**	**85.8万円**
平均・合計	0.833%	―	**12万5,709円**	**15万1,081円**	**181.1万円**

※いずれも借入金額：2,400万円（うち毎月返済分：2,000万円）

〈トータルコスト〉

返済総額	保証料	融資手数料	トータル
5,432.0万円	0円	108.9万円	5,540.9万円

→　トータルコストで見ると約514万円の差があるため、変動金利型の金利上昇リスクは十分カバーできるだろう

→　６年目以降の変動金利型の適用金利が1.8%ほど上昇しても問題なし

→　融資手数料はフラット35とほぼ同じ。物件検査費用（数万円）がかからないため、りそな銀行の例では上図と同程度の借入コストになる

SECTION 7

80 年収倍率が高い場合の検証

住宅ローン金利が未曾有の低金利で推移する現在では、以前よりも返済額が大幅に少なくなりました。借入金額がかなり多くても、返済期間を長くすることで、収入基準をクリアできるケースも多いでしょう。しかし、これで問題はないのでしょうか？

「ローン残高の推移」も確認しておきたい

右ページ上の資金計画例は、「フラット35」を利用して、首都圏で新築マンションを購入するケース。700万円の年収に対する返済負担率は31％強なので、フラット35の収入基準を満たしています。しかし、借入金額は年収の8.6倍近く。実際に審査に通るかは筆者には知る由もありませんが、収入基準は満たしています。不承認となれば不満が出るでしょう。

このケースで、とくに確認したいのは「ローン残高の推移」です。現在は35年返済を利用しても、超低金利の恩恵でそれなりにローン残高は減っていきます。しかし、借入金額が多い場合には、将来の残高自体も多額に上るという点については理解しておく必要があるでしょう。

この資金計画では、20年後のローン残高は2,954万円。固定金利での借入れなので金利上昇リスクはありませんが、逆にいうと、この金額が確定しているということです。仮にいま40歳だと、20年後に定年を迎え退職金が入る人も多いでしょう。その後も65歳まで働くことはできますし、将来的には延長されているとは思いますが、年収のダウンは避けられないと考えるべきです。

さて、3,000万円もの退職金は出るのでしょうか？

出たとしても、その後の家計は大丈夫でしょうか…。

年収倍率も重要だが、借入金額の水準にも注意

一方、下のケースは、自己資金ゼロで一般的な変動金利型から10割融資を受けた例です。年収倍率は7.6倍と高いものの、借入金額が少ないため返済期間を短くできました。その結果、金利上昇リスクも軽減されています。

これを見ると、年収倍率だけでなく、借入金額自体の水準も重要だとわかるでしょう。安易に考えず、総合的に判断することが大切です。

取得価格	7,000万円
頭　金	1,000万円
借入金額	6,000万円
年　収	700万円

●資金計画例①〈借入金額が多い場合〉　(2022年 5 月現在)

	適用金利	返済期間	毎月返済額	ボーナス時加算額	年間返済額
フラット35	1.48%	35年	**15万2,602円**	**18万3,553円**	**219.8万円**

※毎月返済分：5,000万円、ボーナス分：1,000万円

〈ローン残高の推移〉

	借入当初	10年後	15年後	20年後	25年後
ローン残高	6,000万円	4,589万円	3,802万円	2,954万円	2,041万円

→　**40歳で購入した場合、60歳時点のローン残高は約2,954万円**

※一括返済には3,000万円以上の退職金が必要

VS

取得価格	2,500万円
頭　金	0万円
借入金額	2,500万円
年　収	330万円

●資金計画例②〈借入金額が少ない場合〉　(2022年 5 月現在)

	適用金利	返済期間	毎月返済額	ボーナス時加算額	年間返済額
変動金利型	0.625%	25年	**9万　34円** (元金2,500万円)	−	**108.0万円**

〈ローン残高の推移〉

	借入当初	10年後	15年後	20年後	25年後
ローン残高	2,500万円	1,547万円	1,047万円	532万円	0円

→　**融資率も年収倍率も高いが、上と比べて返済リスクは大きく異なる**

※年収倍率は7.6倍。変動金利型なので金利上昇リスク自体は残る

Column

審査の申し込みは何件？

マイホームの取得で最後に立ちはだかるのが「審査」の壁。

これればかりは、実際に申し込んでみないとわかりません。大丈夫だろうと思えるケースでも、不承認となることはよくあるのです。

したがって、少しでも有利と思われるローンを借りるためには、複数の金融機関に審査を申し込むことが望まれます。これは借入れを希望する者として、当然のリスクヘッジだと考えましょう。

ただし、申込みは日を開けずに一気に行うのが基本です。金融機関等は申込者の個人情報を確認しますが、他行が照会した履歴が残るため、日にちが空いていると不承認となった可能性が疑われるからです。

また、手当たり次第に申し込むのもやめるべき。審査をしても融資につながらない可能性が高まりますので、担当者の立場からすると心証がよいはずはないからです。

このように考えた場合、事前審査に申し込む金融機関等の数としては、最大で３～４つくらいという数字が浮かび上がります。

事前審査において公的な所得証明書などの取得・添付が不要な場合であれば、１～２日（Web経由等での申込みだと数十分程度）ですべての金融機関に申し込めるはずです。

本審査は、事前審査で承認を受けた金融機関のうち、とりあえず第一志望と第二志望の２つに申し込めばよいでしょう。承認が下りてもそこで融資を受ける必要はなく、借入れを「辞退」しても問題はありません。

正式審査の結果には、３～６カ月の有効期間があり、ローンの契約はこの間に結びます。新築マンションなどで完成・入居までに時間がある場合は、承認を得たあとでじっくりと検討することもできるでしょう。

しかし、中古や完成済み物件などは、そういうわけにいきません。

だからこそ、気に入った物件が見つかったときに慌てなくてすむよう、マイホームがほしいと考え始めたときから住宅ローンを勉強し、適切な資金計画が立てられるように準備しておくことが大切です。

SECTION

8

住宅ローンの見直し方法

SECTION 8

81 住宅ローンの「借り換え」に注目!

いま返済しているローンを一括返済するために、新たに住宅ローンを借りることを「借り換え」と言います。

上手な借り換えが実行できれば、いま住宅ローンを返している人も現在の超低金利の恩恵を受けることができます。

借り換えは本当に最後のチャンス

超低金利の恩恵は、これからマイホームを取得する人だけに限りません。住宅ローンをいま返している人も、「借り換え」で恩恵が受けられる可能性があるのです。すでに借り換えをした経験がある人も、現在の金利水準であれば二度目の借り換え効果が期待できるかもしれません。

少ない金利差でもメリットあり

右ページの上は、10年ほど前に借りた住宅ローンを同じ金利タイプで借り換えた場合の試算例です。諸費用をすべて含めて借り換える前提としたためローン残高は増えますが、十分なメリットがあると言えます。

借り換え前のローン金利は、すべて当時の最低水準を念頭に設定しました。

金利水準が高かったり、引き下げ時期が遅かった金融機関で借りていた、あるいは右ページの例よりも融資金利が低いローンが利用できる、といったケースでは、実際の借り換え効果はさらに大きなものとなるでしょう。

年間の差額を見ると効果が少ないと感じるかもしれませんが、残り期間の総額では53〜123万円の軽減となりますし、借り換えをしなかった場合より低い金利で借りるため、今後金利が上昇してもダメージは減ります。

一般的には、借り換え前後で「金利差＝１％以上、残り返済期間＝10年以上、ローン残高＝1,000万円以上」という３つの条件を満たせば、借り換えの効果はあると言われます。しかし、借り換えのコストは0.1％（定率型の融資手数料等の場合は0.3％）の金利差でカバーできますので、ローン残高や残り返済期間によっては、0.3〜0.5％の金利差でもメリットがあるでしょう。

金融機関や金利水準などによっては、５〜６年ほど前に借りたローンでも、十分な借り換え効果が期待できるケースがあります。

●同じ金利タイプでの借り換え効果の例　※前提条件：ローン残高＝2,500万円、残り返済期間＝25年

事　例	（借入時期）	残高等	金利	年間返済額	差額
固定金利型	（約10年前）	2,500万円	2.07%	128.2万円	▲ 4.9万円
	借り換え後	2,575万円	1.48%	123.3万円	
10年固定	（約10年前）	2,500万円	1.50%	120.0万円	▲ 3.5万円
	借り換え後	2,575万円	1.00%	116.5万円	
変動金利型	（約10年前）	2,500万円	0.875%	111.4万円	▲ 2.1万円
	借り換え後	2,575万円	0.475%	109.3万円	

※ 借り換え時の借入金額は諸費用を含む（ローン残高の３％で設定）
※ 借り換え前の住宅ローン金利は、借入時（10年前）の最低水準で設定してある

●諸費用の例（最低必要額）　※借り換え金額：2,575万円、戸建て

項　目	金額および目安
印紙税	20,000円
融資事務手数料	33,000円（定額タイプの例）
登録免許税（抵当権抹消）	2,000円（1,000円×2）※土地と家屋
登録免許税（抵当権設定）	103,000円（2,575万円×0.4%）
司法書士への報酬	75,000円（抹消＋設定の例）
以上合計	233,000円　※借入金額の１%弱

→　借り換えの諸費用（最低必要額）は、ローン残高の１％が目安
　（注）借り換え前後のローンが、いずれも保証料型（内枠方式）の場合

→　借り換え後のローンが「保証料型（外枠方式）」か、「融資手数料型」の場合には、これらの負担を加味すると「ローン残高の３％程度」が目安となる

→　昨今では、諸費用をほぼすべて含めて借り換えができる

●金利差が「0.1%」の場合の試算例

	ローン残高	諸費用	借入金額	金利	返済額
現在	2,500万円	－	2,500万円	1.1%	95,354円
借り換え後	2,500万円	25万円	2,525万円	1.0%	95,160円
比較	－	25万円	25万円	▲ 0.1%	▲ 194円

→　0.1%の金利差でも、借入金額が多ければ諸費用（最低必要額）分はカバーできる

82 借り換えメリットの把握方法

借り換えを検討する際には、借り換えで利用したい住宅ローンを取り扱っている金融機関に相談に行くのが最も確実な方法です。

事前にどの程度の効果があるかを自分で試算することができれば、相談の際にもスムーズに事が運びそうです。

まずは、現在の住宅ローンを確認！

借り換え効果を把握するためには、借り換え前の現在の住宅ローンを確認しておくことが大切です。ローンの償還予定表などをもとに、現在のローン残高や今後の返済総額を確認しておきましょう。

もちろん、金融機関に相談するという方法でも構いません。

●現在のローン……借入後、8年が経過

金利タイプ	借入金額	金利	現在の返済額			残り返済期間	ローン残高
			毎月分	ボーナス分	年間合計		
フラット35	3,500万円	2.15%	94,923円	142,811円	142.5万円	27年	2,914万円

→ 今後の返済総額は約3,847万円（≒142.5万円×27年）

続いて、以下の手順に沿って、借り換え効果を把握していきましょう。

①現在のローン残高を確認する

→ 2,914万円

②借り換えで利用するローンを決める

→ フラット35（金利：1.48%、融資事務手数料：融資額×2.2%）

③借り換えにかかる諸費用を見積もる

→ 約88万円（右ページ参照。ほぼ全額を上乗せして借り換え）

④借り換えでの借入金額は…

→ ①＋③≒3,000万円（毎月分：2,500万円、ボーナス分：500万円）

これで借り換えで利用する住宅ローンの借入金額が設定できました。では、巻末の資料等を活用して、借り換え後の返済額などを計算してみましょう。

借り換え効果はいくら？

●借り換え後のローン

※2022年５月現在（返済期間は現状通り）

借入先	借入金額	金利	借り換え後の返済額			返済期間	今後の返済総額
			毎月分	ボーナス分	年間合計		
フラット35	3,000万円	1.48%	93,648円	112,659円	134.9万円	27年	3,643万円

借り換え後の返済額などが把握できたら、借り換え前後のローンを比較して、借り換えによる効果を把握します。

●借り換え前後の比較

	金利	返　済　額			返済期間	今後の返済総額
		毎月分	ボーナス分	年間合計		
現在のローン	2.15%	94,923円	142,811円	142.5万円	27年	3,847万円
借り換え後	1.48%	93,648円	112,659円	134.9万円	27年	3,643万円
差　額	▲0.67%	▲1,275円	▲30,152円	▲7.6万円	－	▲204万円

年間返済額が約7.6万円少なくなり、25年間のトータルでは200万円以上も返済が軽減されるという借り換え効果になりました。現在のローンを借りてから、８年間でこれほどまでに状況が変わったということです。

なお、今回の借り換えでかかる諸費用の目安は以下の通りで、これらはすべて借り換え時にフラット35の融資額に含めることができます。

また、住宅ローン控除も、あと２年間、引き続き受けられます。

登録免許税	抵当権抹消登記（現在のローン）：1,000円×2件（土地·家屋） 抵当権設定登記：3,000万円×0.4%＝12万円 ※取得時と違い、借り換えの際は軽減措置がないため高い
司法書士報酬	抵当権設定および抹消を合わせて、75,000円程度と想定
融資事務手数料	66万円（3,000万円×2.2%）
印紙税	ローンの金銭消費貸借契約書に貼付：２万円
物件検査費用	フラット35の借入れに必要（戸建ての場合、３万円前後が目安） ※フラット35→フラット35、の借り換えでは不要
完済手数料	金融機関やローンの種類で異なるが、無料～５万円ほどかかる ※フラット35は無料

83 借り換え＆返済期間の短縮

現在よりも低い金利のローンに借り換える場合、その後の返済額は少なくなるのが通常です。

返済期間が長すぎなければこのままでも構いませんが、借り換える際に短くしておくことも検討しましょう。

返済額は変えずに、期間を短くする

住宅ローンの借り換えでは、現在の返済期間を上回らない範囲で借り換え後の返済期間を設定するのが原則です。たとえば35年返済で、10年が経過している場合は、借り換え後の返済期間の上限は差し引き25年になります。そして、適用金利が下がる分、借り換え後の返済額やその後の返済総額は少なくなります（ただし、変動金利型などで借り換えを行い、将来的に一定以上の金利上昇が起こった場合は、逆に返済総額が増えることもあります）。

一方、借り換えによる利息軽減効果をさらに増やしたい場合は、「借り換え後の返済期間を短くする」ことを検討しましょう。

このほうが今後の返済総額は少なくなりますし、仮に変動金利型で借り換える場合は、返済期間が短いほど金利上昇リスクも低下します。固定金利選択型も、返済期間を短くすれば固定金利特約期間が終わったあとの残り期間が短くなりますので、金利上昇が起きた場合のダメージは少なくなります。

その際には、「借り換え後の返済額が現在と同じ水準になるような返済期間で借り換える」というのが１つの目安になるでしょう。この方法なら、家計の負担は増えませんし、返済期間が短くなることによって、今後支払う利息もさらに軽減されるからです。

家計に余裕がある場合は、さらに短くしたい

住宅ローンを組んだときに返済期間を長くしすぎた人にとって、借り換えは返済期間を短くするチャンスでもあります。

雇用延長が義務化され、65歳まで働ける時代がやってきたものの、定年自体は60歳のままが一般的。その後は減収を受け入れての継続雇用となる場合がほとんどです。少なくとも65歳、理想としては60歳までに完済できるよう、

借り換え後の返済期間を設定することが望まれます。

もちろん、返済期間を短くするといっても、家計が苦しくならない範囲で行うべきですし、場合によっては、もっと短くしたいと考えていたのにダメだった、ということもあるかもしれません。住宅ローンを利用する際には、金融機関等の審査に通ることが条件ですので、なかなか思い通りにならないこともあるでしょう。しかし、最善と思われる方法を考えて、粘り強く交渉する姿勢で臨んでいただきたいと思います。

短縮期間の目安を把握する方法

それでは、前項のケースを例に、返済期間がどの程度まで短くできるかを電卓と本書を使用して確認しましょう。

①借り換え前の返済額を確認する

→　年間1,424,698円（94,923円×12カ月＋142,811円×２回）

②１カ月あたりの借り換え前の返済額に置き換える

→　月額118,725円（1,424,698円÷12カ月）

③借入金額100万円あたりの返済額に置き換える

→　3,958円（118,725円÷30（3,000万円÷100万円））

④211ページの＜返済額早見表＞を見て、
「金利＝1.50％」の列で3,958円に最も近い返済額を探し、期間を確認する

→　3,999円（25年）　※「1.48％」が巻末資料にないため、最も近い金利で探す

●借り換えで返済期間を短くした場合の比較（P.190のケース）

	返済期間	借り換え後の返済額			今後の返済総額
		毎月	ボーナス時	年間合計	
現在のローン	27年	94,923円	142,811円	142.5万円	3,847万円
借り換え後	27年	93,648円	112,659円	134.9万円	3,643万円
	26年	96,579円	116,188円	139.1万円	3,617万円
	25年	99,749円	120,003円	143.7万円	3,592万円
	24年	103,185円	124,140円	148.7万円	3,568万円
	23年	106,924円	128,641円	154.0万円	3,543万円
	22年	111,006円	133,554円	159.9万円	3,518万円

※この表中の数値は、1.48％の金利で計算したものです。

84 借り換えでもフラット35は利用可

「フラット35」は、住宅金融支援機構の定める要件を満たす場合、借り換えで利用することも可能です。

返済額を減らす目的のほかに、たとえ返済は増えても、固定金利型のローンにいま変えておきたい、という希望も満たせます。

「フラット35」（借換融資）のポイント

借り換えで「フラット35」を利用する場合は、次の２つが考えられます。

①民間住宅ローンから、フラット35に借り換える

②すでにフラット35を借りている人が、フラット35で借り換える

まず、①のケースでは、自宅が住宅金融支援機構の定める技術基準に適合し、借り換えの利用額が住宅の建設費または購入価額の100％（上限8,000万円）以内であれば、「フラット35（借換融資）」の申込資格があります。

一方、②の場合は、住宅に関する要件をすでに満たしていますので、いま返している「フラット35」の借入日（金銭消費貸借契約）から１年以上経過していて、遅滞なく返済を行っていれば、「現在とは別の取扱機関で申し込む」ことによって、再び「フラット35」を利用できる可能性があります。

民間住宅ローンの多くは、借り換え後の返済期間は「現在のローンの残り返済期間まで」とされますが、フラット35は右ページのとおり。現在のローンを35年返済で借りていなければ、返済期間を延ばすことも選択できます。

また、融資事務手数料などの借り換え費用も上乗せして借りられますので、ほとんど手持ち資金がなくても利用は可能です。

留意したいのは「団信特約料」の軽減分。現在のフラット35の融資金利には含まれていますが、以前は別払いでした。ローン返済額の軽減分だけでなく、借り換え前の団信特約料相当額も含めてメリットを把握しましょう。

なお、民間の変動金利型や固定金利選択型などを借りていて、将来的な金利上昇リスクを抱えている人は、「この超低金利のチャンスを活かして、固定金利型のローンに切り換える」という発想で「フラット35」を利用するのもよいアイデアでしょう。現在借りているローンの金利によっては、返済額が増える場合もありますが、今後の金利上昇リスクとはお別れできます。

●フラット35の借り換えで利用できる金額の上限

次のうち、いずれか少ない額まで　※100万円以上8,000万円以下（1万円単位）
（1）借り換えの対象となる住宅ローンの残高
（2）住宅金融支援機構による担保評価額の200%

●フラット35の借り換え金額に含めることができる諸費用

・金銭消費貸借契約書に貼付する印紙代（印紙税）
・フラット35（借換融資）を利用する際の融資事務手数料
・抵当権の設定、および抹消のための登録免許税
・抵当権の設定、および抹消のための司法書士への報酬
・フラット35の物件検査手数料（適合証明書が必要となる場合）
・借り換え前のローンを全額完済する際の繰上返済手数料と経過利息
・積立型商品を除く火災保険料や、新規で加入する地震保険料

※ フラット35では、繰上げ完済手数料が無料

●借り換えで利用する場合のフラット35の返済期間

・15年以上の返済期間から利用可（60歳以上の人は10年以上）
・次のいずれか短い期間が上限（1年単位）
（1）「80歳－借り換え申込み時の年齢」
（2）「35年※－現在返済している住宅ローンの経過期間」
※長期優良住宅は50年　　（注）（1）、（2）ともに1年未満切り上げ

85 繰上げ返済、という方法も

ローンの「借り換え」ができなかったり、効果がない場合、または余裕資金を有効に活用したいなどのケースで行いたいのが「一部繰上げ返済」です。「期間短縮型」と「返済額軽減型」という2つの方法があることを、まずは理解しておきましょう。

通常の返済額とは別に、元金分を返済

住宅ローンは毎月（＋ボーナス時に）返しますが、それらの通常の返済とは別に、基本的にはいつでも好きなときに好きなだけ返すことが可能です。

この方法は「繰上げ返済」と呼ばれ、繰上げ（＝内入れ）をした金額は、原則として元金部分の返済に充当されます。その結果、その元金部分にかかるはずだった利息を支払わなくてすみ、トータルの返済額も軽減されます。これが繰上げ返済のメリットです。

「繰上げ返済」には、残りの元金分すべてを返す「繰上げ完済」と、元金の一部を返す「一部繰上げ返済」があります。

このうち、「一部繰上げ返済」には、大きく分けて2つの方法があります。ひとつは、毎回の返済額はそのままで返済期間を短縮する方法（期間短縮型）で、「中抜き方式」とも呼ばれます。もうひとつは、返済期間はそのままで、毎回の返済額を減らす方法（返済額軽減型）です。

1 毎回の返済額はそのままで返済期間を短かくする方法（期間短縮型）

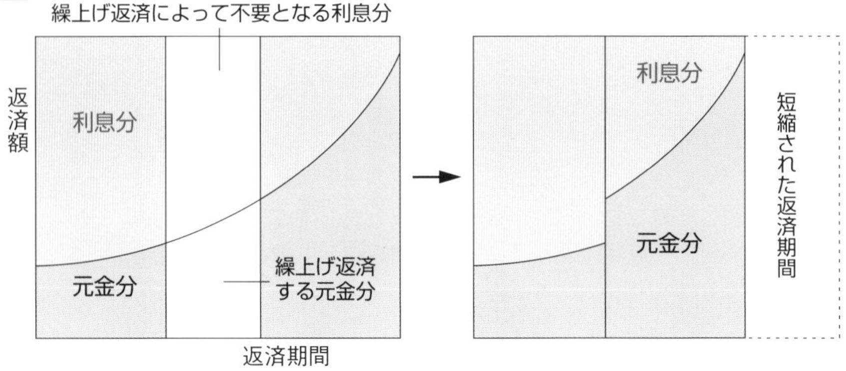

2 返済期間はそのままで毎回の返済額を減らす方法（返済額軽減型）

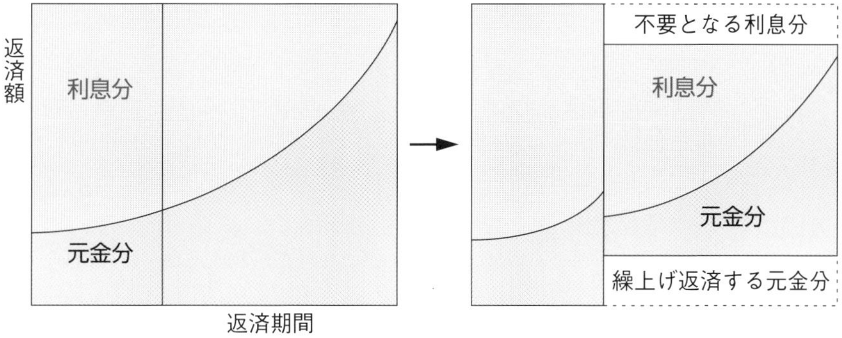

繰上げ返済の手続きは？

「繰上げ返済」を行うには、一定の手続きが必要です。

「フラット35」では、100万円以上から繰上げ返済ができますが、実行する1カ月前までに取扱機関に申し出る必要があります（繰上げ返済の手数料は無料)。なお、住宅金融支援機構のインターネットサービス「住・My Note」を利用して行えば、10万円（ただし、期間短縮型の場合は1カ月分以上の元金かつ、ボーナス払いがある場合はボーナス払い分を含めた6カ月単位の元金）以上で一部繰上げ返済が可能です。

一方、民間住宅ローンでは、変動金利型と固定金利選択型で手数料が異なります。変動金利型は3,300円（期間短縮型）～5,500円（返済額軽減型）などと少額ですが、固定金利選択型では2～3万円ほどかかるのが一般的です。申し出は直前～2週間前でOKとなる場合が多く、インターネット経由では手数料の無料化が進んでいます。

Advice 期間短縮型と返済額軽減型はどちらが有利？

カットされる利息の総額で比較すると、期間短縮型のほうが利息軽減効果は大きくなります。ただし、これは見かけ上の話であって、同じ金利の同じローンなのですから、実質的な効果も実は同じなのです。

したがって、返済期間が長い人は期間短縮型を選び、返済額を減らしたい人は返済額軽減型を選ぶ、という考え方でよいでしょう。

SECTION 8

86 繰上げ返済の手順と効果

ここでは、一部繰上げ返済を行った場合の効果を確認する方法をご紹介します。昨今ではインターネットを通して手続きを行うことも多いでしょうが、やみくもに繰り上げるのではなく、実際の効果を確認してから実行しましょう。

繰上げ返済の事例研究

＜前提条件＞

借入金額：3,000万円（フラット35、元利均等返済、毎月払いのみ）
金利　　：1.0%
返済期間：30年
返済額　：96,491円／月

➡ 返済開始２年後（24回目）に約100万円を繰上げ

●ローンの償還予定表（例）　（単価：円）

回	返済額	利息	元金	ローン残高	
1	96,491	25,000	71,491	29,928,509	
2	96,491	24,940	71,551	29,856,958	
⋮	⋮	⋮	⋮	⋮	
23	96,491	23,677	72,814	28,340,532	
24	96,491	23,617	72,874	28,267,658	⬅繰上げ実行
25	96,491	23,556	72,935	28,194,723	
26	96,491	23,495	72,996	28,121,727	
⋮	⋮	⋮	⋮	⋮	
36	96,491	22,885	73,606	27,388,412	
37	96,491	22,823	73,668	27,314,744	
38	96,491	22,762	73,729	27,241,015	⬅ここまで飛ぶ
39	96,491	22,700	73,791	27,167,224	

期間短縮型の場合

左ページの図を見ながら、繰上げ返済の効果を確認してみましょう。

①現在のローン残高（実際には繰上げ返済を行うときの残高）を把握する

➡ 28,267,658円（24回目のローン残高）

②内入れ額を決める

➡ 100万円

③引き算をした金額（①－②）が、内入れ後のローン残高の目安となる

➡ 27,267,658円

④返済予定表のローン残高をたどって、③の金額と近いところを探す

➡ 27,241,015円（38回）が最も近い

なお、37回目は100万円以上にならないため、この例では不可

⑤そこまで期間が飛ぶ

➡ 38回　※38回－24回＝14回の期間短縮

⑥実際の内入れ額は？

➡ 28,267,658円（24回目）－27,241,015円（38回）＝ 1,026,643円

⑦カットされる利息はいくら？

➡ 14回分の支払い予定額 ＝ 96,491円×14回＝ 1,350,874円

➡ 内入れ額（＝元本部分）＝ 1,026,643円

➡ 1,350,874円－1,026,643円＝ 324,231円（利息軽減額）

（注）「フラット35」などでボーナス払いを併用している場合は、原則6カ月単位での期間短縮となります。また、ボーナス払いを併用している場合は、計算した金額と実際の金額とで誤差が生じる場合があります。

返済額軽減型の場合

①内入れ後のローン残高を確認する

➡ 27,267,658円（28,267,658円－100万円）

②内入れ後の返済額を計算する（1.0％、残り28年返済）

➡ 93,078円　※210ページ以降（巻末資料：４）を参考に計算

③少なくなる返済額を計算し、カットされる利息を把握する

➡ 毎月返済額：3,413円の軽減（96,491円－93,078円）

➡ 返済総額：1,146,768円の軽減（3,413円×12カ月×28年）

➡ 利息の軽減額：146,768円の軽減（1,146,768円－100万円）

87 一部繰上げ返済VS運用

繰上げ返済の効果は前項の通りですが、実はこの数字は、表面的なものでしかありません。

繰上げ返済を「借金を減らす運用」として位置づけた場合、これまでとは違った繰上げ返済の本当の姿が見えてくるでしょう。

「ローン金利での運用」が繰上げ返済の正体

繰上げは、「早くやるほどトク」だと言われますが、実際は借入金利や運用環境などによって異なります。結論としては、ローン金利より有利な運用ができるのであれば、増やしてから繰上げを行うほうがトクなのです。

前ページの「期間短縮型」の例では、約102.7万円の内入れで32万円程度の利息軽減効果があるという計算結果でしたが、繰上げを行った瞬間にこれだけトクするわけではありません。この金額はあくまでも今後約27年（322回）のトータルで軽減される利息であって、すぐにこれだけの効果が出るわけではないのです。

では、繰上げ返済による実際の効果はどれくらいなのかというと、実は、「ローン金利のパワーで借金を減らす運用を行う」のが繰上げ返済の本質ですので、前項の例では年利1.0%運用（税引き後）に相当することになります。次ページをもとに確認してみましょう。

この図表は前項と同じ前提条件の償還予定表の推移（抜粋）です。繰上げをした結果、返済は38回目に飛びましたので、ここから１年後（50回目）のローン残高は「26,351,457円」だとわかるでしょう。

一方で、繰上げ返済をしなかった場合の残高は、36回目（24回＋12回）の「27,388,412円」ですから、両者の差額は「1,036,955円」となります。ただし、このうちの「1,026,643円」は繰上げ返済で内入れした金額なので、減るのは当たり前。「1,036,955円－1,026,643円＝10,312円」が、繰上げ返済直後の１年間で得られる実際の利息軽減額だということです。

この「10,312円」を内入れ額（1,026,643円）で割ってみると、おおむね1.0%の水準になります。前述のように、繰上げ返済で支払う約102.7万円がローン金利（1.0%）のパワーで借金（＝ローン残高）を減らす運用をしてくれた、ということがご理解いただけるでしょう。

このケースでは、102.7万円が1年後に103.7万円以上に増えるのであれば、資金を増やしてから繰上げ返済を行うほうが有利となります。

以上のように、繰上げは早くやるほどトクだというのはまったくの誤解であって、早くやれば借金を減らす運用期間が長くなる分、利息軽減額も増えるのは当たり前の話です。でも、その代わりに手持ち資金の運用から得られたはずの収益がなくなりますので、結局は自分の運用能力や運用環境と比べてどうなのかで判断する必要があるということです。

繰上げ返済は、ゴルフで言うと「バンカーショット」に相当します。砂に打ち込んでしまった（＝ミスショットをした）からこそ、悪戦苦闘しなければならなくなったわけで、最初からフェアウェイのど真ん中に、すばらしいショットができていれば、バンカーと戦う必要などありません。

いまの時代は、最初からすばらしい住宅ローンが組める時代です。

繰上げ返済というバンカーショットをしなくて済むよう、安心できる資金計画を最初から立てることを目指しましょう。

●繰上げ返済の効果

（単価：円）

回	返済額	利息	元金	ローン残高
24	96,491	23,617	72,874	28,267,658
⋮	⋮	⋮	⋮	⋮
36	96,491	22,885	73,606	27,388,412
⋮	⋮	⋮	⋮	⋮
38	96,491	22,762	73,729	27,241,015
⋮	⋮	⋮	⋮	⋮
50	96,491	22,021	74,470	26,351,457

繰上げをしなかった場合（24回〜36回）

差額は 1,036,955円

繰上げをした場合（38回〜50回）

➡1年間の利息軽減額＝10,312円
（1,036,955円－1,026,643円）

➡内入れ額（約102.7万円）に対して、1%の効果

〈参考〉

346	96,491	1,198	95,293	1,342,622

➡繰上げをした場合＝346回目（360回－14回）で返済が終了

➡しなかった場合＝346回目の残高は約134万円

➡内入れ額の102.7万円を、年1%で27年弱（346回－24回）運用すると134万円になる

88 条件変更という方法もある

住宅ローンの返済が始まったあとは、当初に契約した通りの条件でずっと返していくのが一般的でしょう。しかし、実際には、一定条件の下で、返済方法を自由に変更することが可能です。この方法について、「フラット35」を中心に見ていきましょう。

「条件変更」で、細かな返済条件は変えられる

新しく住宅ローンを借りるときには、たとえば、「返済期間は30年にして、元利均等返済のボーナス併用払いで借り、毎月の返済とボーナス払いの割合は8対2くらいに設定して、返済日は指定された日にちのうち、毎月5日にしておこう」といったように、返済に当たっての細かい条件を選びます。

しかし、返済が始まったあとから、いったん選んだ返済日や返済方法などの条件を変えたいと思った場合も、希望に応じてもらえます。

これが、住宅ローンの「条件変更」と呼ばれる方法です。

民間住宅ローンでは金融機関ごとに対応が異なるケースもありますが、基本的には、「金利」や「借入金額」、「最長返済期間」などのような、ローンの根本的な内容以外の変更は可能とされています。

したがって、金利に関する条件を途中で有利なものに変えてもらおうとか、35年などの最長返済期間を超えた年数で返済期間を延長したい、といったようなことでなければ、たいていは認められると考えてよいでしょう。

ただし、条件変更で返済額が変わる場合には、金融機関等の承認（審査）を受ける必要があります。そのため、返済額を大幅に増やすことによって、早く返し終えたいと希望しても、年収要件を満たしていなければ、こちらも基本的には無理です。この場合は、前述した「一部繰上げ返済」で対応しましょう（実はこれも条件変更の一種なのです）。

なお、返済にあたっての根本的な条件を変えるのは無理と述べましたが、昨今では長引く不況により返済が苦しくなっているケースも多いでしょう。このような人に対しては、現在、次項でふれる「特別な」条件変更が受けられやすくなっていますので、借入先の金融機関などに、少しでも早く相談することをおすすめします。

どのような変更が可能か？

ここでは、「フラット35」を例に、どのような条件変更ができるかについて確認してみましょう（民間住宅ローンもほぼ同じです）。

なお、フラット35ではこれらの条件変更の手数料が無料ですが、民間住宅ローンなどでは数千円程度かかるのが一般的です。

＜フラット35で利用できる条件変更のメニュー＞

●払込期日の変更

金融機関ごとに引落日が決められていますが、複数の日にちから選択できる場合は変更できます。

●ボーナス払い月の変更

ボーナス払いの月は、契約時に６月と12月など半年ごとの組み合わせで選べましたが、７月と１月など、他の組み合わせに変えられます。

●「毎月払いとボーナス払いの併用」→「毎月払いのみ」への変更

●「毎月払いのみ」→「毎月払いとボーナス払いの併用」への変更

ボーナスがゼロになったり、逆にボーナスが出る仕事に就いた場合などでは、これらの条件変更で家計への対応が可能です。

●毎月払い分とボーナス払い分の内訳の変更

ボーナスが減って、ボーナス払いが苦しくなった場合には、毎月返済分の割合を多くして毎月の返済額を増やすことにより、ボーナス払いの金額が減らせます（一定の範囲内なら、この逆も可）。

●元金均等返済→元利均等返済（あるいは逆のパターン）への変更

当然、返済額は変わりますが、このような変更もできます。

●返済期間の短縮

審査に通る必要はありますが、35年返済を25年にするなど、返済期間を短くすることも可能です。

（注）繰上げ返済で期間を短くする場合も同じですが、返済期間を短縮した結果、返済当初から返済終了予定までの期間が10年未満になった場合は、住宅ローン控除が受けられなくなりますのでご注意ください。

※民間住宅ローンでは、25年返済を30年にするなど、最長返済期間の範囲内で返済期間を長くできる金融機関もあります（ただし、完済時の年齢が80歳を超える延長はできません）。フラット35は、次項の「特別な条件変更」での対応となります。

89 返済が苦しくなったとき

新型コロナウイルスの災禍をきっかけに、大幅な収入減に見舞われた方は少なくありません。住宅ローンの負担で家計が逼迫して、返済が厳しくなってしまった場合は、ひとりで悩まずに、少しでも早い時期に金融機関などで相談しましょう。

一度でも延滞があると、その後の状況は厳しい

マイホームを取得したあとは、他のどの支払いよりも住宅ローンの返済を優先させなければなりません。

もしも返済が一定以上遅れると、毎月の返済額に延滞損害金が加算されて請求されます。この加算額は、「フラット35」の場合、年14.5%（1年を365日とする日割り計算）で算出されます。

この延滞情報は個人信用情報機関に登録されますので、こうなると将来的に借り換えや買い換えで住宅ローンを利用するのは難しくなります。

さらに、6カ月以上の長期延滞が続くと、一括返済を求められるケースも出てきますし、最悪の場合は抵当権を実行され、マイホームを手放さなければならない状況に陥ります。

また、民間住宅ローンでは、延滞があると、基本的にその後の金利優遇などが受けられなくなるというデメリットも生じます。

住宅ローンの返済は、決して安易に考えてはいけません。

返済が危うくなった場合、早めに相談を

返済が苦しい場合、ギリギリまで金策に走ることになるでしょうが、結果的にダメだった場合は取り返しがつきませんので、とにかく早く、借入先や窓口となっている金融機関に相談することが大切です。

まだ延滞していない場合を中心に、前項の条件変更では対応してもらえなかった「特別な条件変更」（右ページ参照）を受けることも期待できます。

昨今では、住宅ローンに「長期の所得補償保険」等をセットすることで、病気やけが、あるいは失業等には、保険金がローンの返済に充当できるプランもあります。「借りたあとのことも考えた資金計画」を立てましょう。

●住宅金融支援機構（「フラット35」など）の返済特例制度

1．収入が大幅に減って困っている場合

以下の3つの項目すべてに該当する場合に利用可

①離職や病気等の事情により返済が困難

②返済方法の変更により、今後の返済が継続できる

③次のいずれかに当てはまる

（1）年収が年間返済総額の4倍以下

（2）月収が「世帯人員×64,000円」以下

（3）年収に対するすべての住宅ローンの年間返済額の割合が、次の表の比率を超えており、前年の収入が前々年と比べて20%以上減った

	300万円未満	300万円以上 400万円未満	400万円以上 700万円未満	700万円以上
返済負担率	30%	35%	40%	45%

↓

最長15年間、返済期間の延長が可能（80歳完済）

※失業中や年収が20%以上減った場合は、利息のみを支払う元金据置期間（最長3年）の設定も可

※元金据置期間中は金利の引き下げができる場合もある

2．教育費や医療費など、一定期間支出の増加が見込まれる場合

↓

一定期間にわたって、返済額が減らせる

※ただし、減額期間が終了したあとの返済額は増える

（例）借入金額：2,500万円、金利：2.07%、35年返済、10年経過時点

・減額前の返済額：83,716円　→　減額期間中：40,000円（3年間）

　　　　　　　　　　　　　　→　減額期間後：91,371円

※　地震などの自然災害で被災された方は、1～3年間の返済猶予や延長（＋その間の金利引下げ）などの制度が受けられます。詳しくは住宅金融支援機構にご確認ください。

Column

借り換えは、セカンドラブのように

初めてマイホームを取得して住宅ローンを組む人に申し上げたいのは、契約後にゆっくりローンを考えている時間はないよ、ということ。

17ページでふれたように、契約後、おおむね１カ月以内に住宅ローンの審査に通らないと、契約が解除されてしまいます（実際は、よほどの人気物件でなければローン条項の期限が延長されるでしょうが、契約書を作成し直すと印紙代がかかります）。でも、だからといって、慌ててしまって、不利なローンを借りるのは最悪でしょう。

分譲業者や仲介業者が、住宅ローンの手続きを代行しますと言って、複数の金融機関の事前審査の申込書をくれることも多いでしょう。

そのなかに条件の悪い（＝たいていは審査に通りやすい）住宅ローンが混じっていたら、それは悲劇の始まりかもしれません。

収入面などで余裕がある人なら問題ないでしょうが、ギリギリの資金計画になっている場合は、希望したローンの審査にはすべて落ち、条件の悪いローンだけ通ってしまった、ということにもなりかねないのです。

……というわけで、住宅ローンは時間との戦いでもあるんですね。

あとになってから、もっといいローンがあったのに、と悔しい思いをした人も多いでしょう。もっと早く勉強しておけばよかった……。

でも、大丈夫ですよ。だって、借り換えという方法があるんだから。

実際、最初に組んだ住宅ローンが、すばらしい資金計画だったというケースは多くないでしょう。初恋の人とゴールインするくらい、稀なことかもしれません。でも、「二度目の恋」なら、もっと上手くいくはず。

マイホームを取得したあとは、たっぷり時間があります。すばらしいローンを見つけて、よいタイミングで借り換えることもできるでしょう。

…でも、最後にひとつだけ。住宅ローンの借換えにも「適齢期」というのはあるんですね。だって、金利が上昇したら借り換え効果は少なくなってしまいますから。金利上昇という「加齢」に負けないよう、住宅ローンの借り換えも早めに行動するほうがよさそうです。

巻末資料：1

●年間返済額10万円あたりの借入可能額の目安

（単位：万円）

金利	返済期間								
	10年	15年	20年	25年	30年	35年	40年	45年	50年
0.40 %	98	146	192	238	283	327	370	412	453
0.475%	98	145	191	236	280	322	364	405	445
0.55 %	97	144	189	234	276	318	359	399	437
0.60 %	97	143	188	232	274	316	356	394	432
0.70 %	97	142	187	229	271	310	349	386	422
0.80 %	96	141	185	227	267	305	342	378	412
0.85 %	96	141	184	225	265	303	339	374	407
0.90 %	96	140	183	224	263	300	336	370	403
0.95 %	95	140	182	222	261	298	333	366	398
1.00 %	95	139	181	221	259	295	330	362	393
1.05 %	95	139	180	220	257	293	327	359	389
1.10 %	95	138	179	218	255	290	323	355	384
1.15 %	94	138	179	217	254	288	321	351	380
1.20 %	94	137	178	216	252	286	318	348	376
1.25 %	94	137	177	215	250	283	315	344	372
1.30 %	94	136	176	213	248	281	312	341	368
1.35 %	93	136	175	212	247	279	309	337	363
1.40 %	93	135	174	211	245	277	306	334	359
1.45 %	93	135	174	210	243	274	303	330	355
1.50 %	93	134	173	208	241	272	301	327	352
1.55 %	93	134	172	207	240	270	298	324	348
1.60 %	92	133	171	206	238	268	295	321	344
1.70 %	92	132	169	204	235	264	290	314	337
1.80 %	91	131	168	201	232	260	285	308	330
1.90 %	91	130	166	199	229	256	280	302	323
2.00 %	91	129	165	197	225	252	275	297	316
2.475%	89	125	158	186	212	234	254	271	287
2.725%	87	123	154	181	205	225	243	259	273
3.00 %	86	121	150	176	198	217	233	247	259

※返済期間40年以上は「フラット50」用

●元利均等返済での返済額の目安

（単位：円）

利率（%）	毎月返済額（借入金額100万円あたり）					ボーナス時加算額（借入金額100万円あたり）				
	15年	20年	25年	30年	35年	15年	20年	25年	30年	35年
0.40	5,724	4,336	3,503	2,948	2,551	34,376	26,038	21,036	17,703	15,323
0.475	5,756	4,368	3,535	2,980	2,584	34,574	26,235	21,234	17,902	15,523
0.55	5,789	4,400	3,568	3,013	2,618	34,773	26,434	21,433	18,102	15,724
0.625	5,821	4,433	3,601	3,047	2,651	34,972	26,634	21,634	18,303	15,927
0.70	5,853	4,466	3,634	3,080	2,685	35,172	26,834	21,835	18,506	16,131
0.75	5,875	4,488	3,656	3,102	2,707	35,305	26,968	21,970	18,643	16,269
0.80	5,897	4,510	3,678	3,125	2,730	35,439	27,103	22,106	18,779	16,407
0.85	5,919	4,532	3,701	3,147	2,753	35,574	27,238	22,242	18,917	16,546
0.90	5,941	4,554	3,723	3,170	2,776	35,708	27,373	22,379	19,055	16,685
0.95	5,962	4,576	3,746	3,193	2,799	35,843	27,509	22,516	19,193	16,825
1.00	5,984	4,598	3,768	3,216	2,822	35,978	27,645	22,653	19,332	16,966
1.05	6,006	4,621	3,791	3,239	2,846	36,114	27,782	22,791	19,472	17,108
1.10	6,029	4,643	3,814	3,262	2,869	36,250	27,919	22,930	19,613	17,250
1.15	6,051	4,666	3,837	3,285	2,893	36,386	28,056	23,069	19,754	17,393
1.20	6,073	4,688	3,859	3,309	2,917	36,522	28,194	23,209	19,895	17,537
1.25	6,095	4,711	3,882	3,332	2,940	36,659	28,332	23,349	20,037	17,681
1.30	6,117	4,734	3,906	3,356	2,964	36,796	28,471	23,490	20,180	17,826
1.35	6,140	4,756	3,929	3,379	2,988	36,934	28,610	23,631	20,324	17,972
1.40	6,162	4,779	3,952	3,403	3,013	37,071	28,749	23,772	20,468	18,119
1.45	6,184	4,802	3,975	3,427	3,037	37,209	28,889	23,915	20,613	18,266
1.50	6,207	4,825	3,999	3,451	3,061	37,348	29,030	24,057	20,758	18,414
1.55	6,229	4,848	4,022	3,475	3,086	37,486	29,170	24,201	20,904	18,563
1.60	6,252	4,871	4,046	3,499	3,111	37,625	29,311	24,344	21,050	18,712
1.65	6,275	4,894	4,070	3,523	3,135	37,764	29,453	24,489	21,197	18,862
1.70	6,297	4,917	4,094	3,547	3,160	37,904	29,595	24,633	21,345	19,013
1.75	6,320	4,941	4,117	3,572	3,185	38,044	29,737	24,778	21,493	19,165
1.80	6,343	4,964	4,141	3,596	3,210	38,184	29,880	24,924	21,642	19,317
1.90	6,389	5,011	4,190	3,646	3,261	38,465	30,167	25,217	21,942	19,623
2.00	6,435	5,058	4,238	3,696	3,312	38,748	30,455	25,512	22,244	19,932
2.475	6,656	5,286	4,473	3,938	3,561	40,106	31,847	26,941	23,711	21,438
2.725	6,774	5,409	4,600	4,069	3,696	40,832	32,594	27,710	24,504	22,255
3.00	6,905	5,545	4,742	4,216	3,848	41,639	33,427	28,571	25,393	23,172
4.00	7,396	6,059	5,278	4,774	4,427	44,649	36,555	31,823	28,767	26,667

巻末資料：3

●元金均等返済での初回返済額の目安

（単位：円）

利率（%）	毎月返済額（借入金額100万円あたり）					ボーナス時加算額（借入金額100万円あたり）				
	15年	20年	25年	30年	35年	15年	20年	25年	30年	35年
0.40	5,888	4,499	3,666	3,110	2,713	35,333	27,000	22,000	18,666	16,285
0.475	5,950	4,561	3,728	3,172	2,775	35,708	27,375	22,375	19,041	16,660
0.55	6,013	4,624	3,791	3,235	2,838	36,083	27,750	22,750	19,416	17,035
0.625	6,075	4,686	3,853	3,297	2,900	36,458	28,125	23,125	19,791	17,410
0.70	6,138	4,749	3,916	3,360	2,963	36,833	28,500	23,500	20,166	17,785
0.75	6,180	4,791	3,958	3,402	3,005	37,083	28,750	23,750	20,416	18,035
0.80	6,221	4,832	3,999	3,443	3,046	37,333	29,000	24,000	20,666	18,285
0.85	6,263	4,874	4,041	3,485	3,088	37,583	29,250	24,250	20,916	18,535
0.90	6,305	4,916	4,083	3,527	3,130	37,833	29,500	24,500	21,166	18,785
0.95	6,346	4,957	4,124	3,568	3,171	38,083	29,750	24,750	21,416	19,035
1.00	6,388	4,999	4,166	3,610	3,213	38,333	30,000	25,000	21,666	19,285
1.05	6,430	5,041	4,208	3,652	3,255	38,583	30,250	25,250	21,916	19,535
1.10	6,471	5,082	4,249	3,693	3,296	38,833	30,500	25,500	22,166	19,785
1.15	6,513	5,124	4,291	3,735	3,338	39,083	30,750	25,750	22,416	20,035
1.20	6,555	5,166	4,333	3,777	3,380	39,333	31,000	26,000	22,666	20,285
1.25	6,596	5,207	4,374	3,818	3,421	39,583	31,250	26,250	22,916	20,535
1.30	6,638	5,249	4,416	3,860	3,463	39,833	31,500	26,500	23,166	20,785
1.35	6,680	5,291	4,458	3,902	3,505	40,083	31,750	26,750	23,416	21,035
1.40	6,721	5,332	4,499	3,943	3,546	40,333	32,000	27,000	23,666	21,285
1.45	6,763	5,374	4,541	3,985	3,588	40,583	32,250	27,250	23,916	21,535
1.50	6,805	5,416	4,583	4,027	3,630	40,833	32,500	27,500	24,166	21,785
1.55	6,846	5,457	4,624	4,068	3,671	41,083	32,750	27,750	24,416	22,035
1.60	6,888	5,499	4,666	4,110	3,713	41,333	33,000	28,000	24,666	22,285
1.65	6,930	5,541	4,708	4,152	3,755	41,583	33,250	28,250	24,916	22,535
1.70	6,971	5,582	4,749	4,193	3,796	41,833	33,500	28,500	25,166	22,785
1.75	7,013	5,624	4,791	4,235	3,838	42,083	33,750	28,750	25,416	23,035
1.80	7,055	5,666	4,833	4,277	3,880	42,333	34,000	29,000	25,666	23,285
1.90	7,138	5,749	4,916	4,360	3,963	42,833	34,500	29,500	26,166	23,785
2.00	7,221	5,832	4,999	4,443	4,046	43,333	35,000	30,000	26,666	24,285
2.475	7,617	6,228	5,395	4,839	4,442	45,708	37,375	32,375	29,041	26,660
2.725	7,825	6,436	5,603	5,047	4,650	46,958	38,625	33,625	30,291	27,910
3.00	8,055	6,666	5,833	5,277	4,880	48,333	40,000	35,000	31,666	29,285
4.00	8,888	7,499	6,666	6,110	5,713	53,333	45,000	40,000	36,666	34,285

巻末資料：4

●元利均等返済の毎月返済額（詳細版①：金利 0.40%～1.00%）（単位：円）

	0.40%	0.475%	0.55%	0.625%	0.70%	0.80%	0.85%	0.90%	0.95%	1.00%
5年	16,836	16,868	16,900	16,932	16,964	17,007	17,029	17,050	17,072	17,093
6年	14,058	14,090	14,122	14,154	14,186	14,229	14,250	14,272	14,293	14,315
7年	12,074	12,106	12,138	12,170	12,202	12,245	12,266	12,288	12,309	12,331
8年	10,585	10,617	10,649	10,681	10,714	10,757	10,778	10,800	10,821	10,843
9年	9,428	9,460	9,492	9,524	9,556	9,599	9,621	9,642	9,664	9,686
10年	8,502	8,534	8,566	8,598	8,630	8,673	8,695	8,717	8,738	8,760
11年	7,744	7,776	7,808	7,841	7,873	7,916	7,938	7,959	7,981	8,003
12年	7,113	7,145	7,177	7,209	7,242	7,285	7,307	7,328	7,350	7,372
13年	6,579	6,611	6,643	6,675	6,708	6,751	6,773	6,794	6,816	6,838
14年	6,121	6,153	6,185	6,218	6,250	6,293	6,315	6,337	6,359	6,381
15年	5,724	5,756	5,789	5,821	5,853	5,897	5,919	5,941	5,962	5,984
16年	5,377	5,409	5,442	5,474	5,506	5,550	5,572	5,594	5,616	5,638
17年	5,071	5,103	5,135	5,168	5,200	5,244	5,266	5,288	5,310	5,332
18年	4,799	4,831	4,863	4,896	4,928	4,972	4,994	5,016	5,038	5,060
19年	4,555	4,587	4,620	4,652	4,685	4,729	4,751	4,773	4,795	4,817
20年	4,336	4,368	4,400	4,433	4,466	4,510	4,532	4,554	4,576	4,598
21年	4,137	4,170	4,202	4,235	4,268	4,312	4,334	4,356	4,378	4,401
22年	3,957	3,989	4,022	4,055	4,088	4,132	4,154	4,176	4,198	4,221
23年	3,793	3,825	3,858	3,890	3,923	3,967	3,990	4,012	4,034	4,057
24年	3,642	3,674	3,707	3,740	3,773	3,817	3,839	3,862	3,884	3,906
25年	3,503	3,535	3,568	3,601	3,634	3,678	3,701	3,723	3,746	3,768
26年	3,375	3,407	3,440	3,473	3,506	3,551	3,573	3,595	3,618	3,641
27年	3,256	3,289	3,321	3,354	3,388	3,432	3,455	3,477	3,500	3,523
28年	3,146	3,179	3,211	3,244	3,278	3,322	3,345	3,368	3,390	3,413
29年	3,043	3,076	3,109	3,142	3,175	3,220	3,243	3,265	3,288	3,311
30年	2,948	2,980	3,013	3,047	3,080	3,125	3,147	3,170	3,193	3,216
31年	2,858	2,891	2,924	2,957	2,991	3,036	3,058	3,081	3,104	3,127
32年	2,774	2,807	2,840	2,873	2,907	2,952	2,975	2,998	3,021	3,044
33年	2,696	2,728	2,761	2,795	2,828	2,874	2,896	2,919	2,942	2,965
34年	2,621	2,654	2,687	2,721	2,754	2,800	2,823	2,845	2,869	2,892
35年	2,551	2,584	2,618	2,651	2,685	2,730	2,753	2,776	2,799	2,822
40年	2,254	2,287	2,321	2,355	2,389	2,435	2,458	2,481	2,504	2,528
45年	2,023	2,057	2,090	2,124	2,159	2,205	2,229	2,252	2,276	2,300
50年	1,839	1,872	1,906	1,941	1,975	2,022	2,046	2,070	2,094	2,118

●元利均等返済の毎月返済額（詳細版②：金利 1.05%～1.50%）（単位：円）

	1.05%	1.10%	1.15%	1.20%	1.25%	1.30%	1.35%	1.40%	1.45%	1.50%
5年	17,115	17,136	17,158	17,179	17,201	17,223	17,244	17,266	17,288	17,309
6年	14,337	14,358	14,380	14,401	14,423	14,445	14,466	14,488	14,510	14,531
7年	12,352	12,374	12,396	12,417	12,439	12,461	12,482	12,504	12,526	12,548
8年	10,864	10,886	10,908	10,929	10,951	10,973	10,995	11,016	11,038	11,060
9年	9,707	9,729	9,751	9,772	9,794	9,816	9,838	9,860	9,882	9,904
10年	8,782	8,803	8,825	8,847	8,869	8,891	8,913	8,935	8,957	8,979
11年	8,024	8,046	8,068	8,090	8,112	8,134	8,156	8,178	8,200	8,222
12年	7,394	7,416	7,437	7,459	7,481	7,503	7,526	7,548	7,570	7,592
13年	6,860	6,882	6,904	6,926	6,948	6,970	6,992	7,015	7,037	7,059
14年	6,403	6,425	6,447	6,469	6,491	6,513	6,535	6,558	6,580	6,602
15年	6,006	6,029	6,051	6,073	6,095	6,117	6,140	6,162	6,184	6,207
16年	5,660	5,682	5,704	5,726	5,749	5,771	5,793	5,816	5,838	5,861
17年	5,354	5,376	5,399	5,421	5,443	5,466	5,488	5,511	5,533	5,556
18年	5,082	5,105	5,127	5,149	5,172	5,194	5,217	5,240	5,262	5,285
19年	4,839	4,862	4,884	4,907	4,929	4,952	4,974	4,997	5,020	5,043
20年	4,621	4,643	4,666	4,688	4,711	4,734	4,756	4,779	4,802	4,825
21年	4,423	4,446	4,468	4,491	4,513	4,536	4,559	4,582	4,605	4,628
22年	4,243	4,266	4,289	4,311	4,334	4,357	4,380	4,403	4,426	4,449
23年	4,079	4,102	4,125	4,147	4,170	4,193	4,216	4,239	4,263	4,286
24年	3,929	3,952	3,975	3,997	4,020	4,043	4,066	4,090	4,113	4,136
25年	3,791	3,814	3,837	3,859	3,882	3,906	3,929	3,952	3,975	3,999
26年	3,663	3,686	3,709	3,732	3,755	3,778	3,802	3,825	3,849	3,872
27年	3,545	3,568	3,591	3,614	3,638	3,661	3,684	3,708	3,731	3,755
28年	3,436	3,459	3,482	3,505	3,528	3,552	3,575	3,599	3,622	3,646
29年	3,334	3,357	3,380	3,403	3,427	3,450	3,474	3,497	3,521	3,545
30年	3,239	3,262	3,285	3,309	3,332	3,356	3,379	3,403	3,427	3,451
31年	3,150	3,173	3,197	3,220	3,243	3,267	3,291	3,315	3,339	3,363
32年	3,067	3,090	3,113	3,137	3,160	3,184	3,208	3,232	3,256	3,280
33年	2,989	3,012	3,035	3,059	3,083	3,106	3,130	3,154	3,178	3,203
34年	2,915	2,938	2,962	2,986	3,009	3,033	3,057	3,081	3,106	3,130
35年	2,846	2,869	2,893	2,917	2,940	2,964	2,988	3,013	3,037	3,061
40年	2,552	2,576	2,600	2,624	2,648	2,672	2,697	2,722	2,746	2,771
45年	2,324	2,348	2,373	2,397	2,422	2,447	2,471	2,497	2,522	2,547
50年	2,142	2,167	2,192	2,217	2,242	2,267	2,292	2,318	2,344	2,370

●元利均等返済の毎月返済額（詳細版③：金利 1.55%〜4.00%）（単位：円）

	1.55%	1.60%	1.70%	1.80%	1.90%	2.00%	2.475%	2.725%	3.00%	4.00%
5年	17,331	17,353	17,396	17,440	17,484	17,527	17,736	17,846	17,968	18,416
6年	14,553	14,575	14,619	14,662	14,706	14,750	14,959	15,070	15,193	15,645
7年	12,569	12,591	12,635	12,679	12,723	12,767	12,978	13,089	13,213	13,668
8年	11,082	11,104	11,148	11,192	11,236	11,280	11,492	11,605	11,729	12,189
9年	9,926	9,948	9,992	10,036	10,080	10,125	10,338	10,451	10,576	11,040
10年	9,001	9,023	9,067	9,112	9,156	9,201	9,415	9,529	9,656	10,124
11年	8,244	8,267	8,311	8,356	8,400	8,445	8,661	8,776	8,903	9,376
12年	7,614	7,637	7,681	7,726	7,771	7,816	8,033	8,149	8,277	8,755
13年	7,081	7,104	7,149	7,194	7,239	7,284	7,503	7,619	7,749	8,231
14年	6,625	6,647	6,692	6,738	6,783	6,829	7,049	7,166	7,296	7,783
15年	6,229	6,252	6,297	6,343	6,389	6,435	6,656	6,774	6,905	7,396
16年	5,884	5,906	5,952	5,998	6,044	6,090	6,312	6,431	6,564	7,059
17年	5,579	5,602	5,647	5,693	5,740	5,786	6,010	6,130	6,263	6,763
18年	5,308	5,331	5,377	5,423	5,469	5,516	5,741	5,862	5,997	6,501
19年	5,066	5,089	5,135	5,181	5,228	5,275	5,502	5,623	5,759	6,268
20年	4,848	4,871	4,917	4,964	5,011	5,058	5,286	5,409	5,545	6,059
21年	4,651	4,674	4,721	4,768	4,815	4,863	5,092	5,215	5,353	5,871
22年	4,472	4,496	4,542	4,590	4,637	4,685	4,916	5,040	5,178	5,701
23年	4,309	4,333	4,380	4,427	4,475	4,523	4,755	4,880	5,020	5,547
24年	4,160	4,183	4,231	4,278	4,326	4,374	4,608	4,734	4,875	5,406
25年	4,022	4,046	4,094	4,141	4,190	4,238	4,473	4,600	4,742	5,278
26年	3,896	3,919	3,967	4,015	4,064	4,112	4,349	4,476	4,619	5,160
27年	3,779	3,802	3,850	3,899	3,947	3,996	4,234	4,363	4,507	5,052
28年	3,670	3,694	3,742	3,791	3,840	3,889	4,128	4,257	4,402	4,952
29年	3,569	3,593	3,641	3,690	3,739	3,789	4,029	4,160	4,305	4,859
30年	3,475	3,499	3,547	3,596	3,646	3,696	3,938	4,069	4,216	4,774
31年	3,387	3,411	3,460	3,509	3,559	3,609	3,852	3,984	4,132	4,694
32年	3,304	3,329	3,378	3,427	3,477	3,527	3,772	3,905	4,054	4,620
33年	3,227	3,251	3,301	3,350	3,401	3,451	3,697	3,831	3,981	4,552
34年	3,154	3,179	3,228	3,278	3,329	3,380	3,627	3,761	3,912	4,487
35年	3,086	3,111	3,160	3,210	3,261	3,312	3,561	3,696	3,848	4,427
40年	2,796	2,821	2,872	2,924	2,975	3,028	3,284	3,423	3,579	4,179
45年	2,573	2,599	2,650	2,703	2,756	2,809	3,072	3,215	3,376	3,995
50年	2,396	2,422	2,475	2,528	2,583	2,637	2,906	3,053	3,219	3,857

●借入金額1,000万円あたりのローン残高の推移(１)：元利均等15年返済（単位：万円）

	0.5%	0.625%	0.775%	0.90%	1.00%	1.10%	1.20%	1.30%	1.40%	1.50%	1.60%	1.70%	1.80%	2.00%
1年後	936	936	937	937	938	938	939	939	940	940	941	941	941	942
2年後	871	872	873	874	875	876	877	878	878	879	880	881	882	883
3年後	806	807	809	811	812	813	814	815	816	818	819	820	821	823
4年後	741	742	745	746	748	749	751	752	754	755	756	758	759	762
5年後	675	677	679	682	683	685	686	688	690	691	693	695	696	699
6年後	609	611	614	616	618	620	621	623	625	627	629	630	632	636
7年後	543	545	548	550	552	554	556	558	559	561	563	565	567	570
8年後	476	478	481	483	485	487	489	491	493	495	497	498	500	504
9年後	409	411	414	416	418	420	422	424	425	427	429	431	433	436
10年後	342	343	346	348	350	352	354	355	357	359	360	362	364	367
11年後	274	276	278	280	281	283	284	286	288	289	291	292	294	297
12年後	206	207	209	211	212	213	215	216	217	218	220	221	222	225
13年後	138	139	140	141	142	143	144	145	146	147	148	149	149	151
14年後	69	70	70	71	71	72	72	73	73	74	74	75	75	76
15年後	0	0	0	0	0	0	0	0	0	0	0	0	0	0

●借入金額1,000万円あたりのローン残高の推移(２)：元利均等20年返済（単位：万円）

	0.5%	0.625%	0.775%	0.90%	1.00%	1.10%	1.20%	1.30%	1.40%	1.50%	1.60%	1.70%	1.80%	2.00%
1年後	952	953	954	954	955	955	955	956	956	957	957	958	958	959
2年後	904	905	907	908	909	910	910	911	912	913	914	915	915	917
3年後	856	858	860	861	862	864	865	866	867	868	870	871	872	874
4年後	808	809	812	814	816	817	819	820	822	823	825	826	828	831
5年後	759	761	764	767	768	770	772	774	776	777	779	781	783	786
6年後	710	712	716	719	721	723	725	727	729	731	733	735	737	741
7年後	661	664	667	670	672	675	677	679	681	684	686	688	690	694
8年後	612	614	618	621	624	626	629	631	633	636	638	640	643	647
9年後	562	565	569	572	575	577	580	582	584	587	589	592	594	599
10年後	512	515	519	522	525	527	530	532	535	537	540	542	545	550
11年後	462	465	469	472	475	477	480	482	485	487	490	492	495	500
12年後	412	414	419	422	424	427	429	431	434	436	439	441	444	448
13年後	361	364	368	371	373	375	378	380	382	385	387	389	392	396
14年後	311	313	316	319	321	323	326	328	330	332	334	336	339	343
15年後	259	261	265	267	269	271	273	275	277	279	281	283	285	289
16年後	208	210	213	215	216	218	220	221	223	225	226	228	230	233
17年後	156	158	160	162	163	164	166	167	168	170	171	172	174	177
18年後	105	105	107	108	109	110	111	112	113	114	115	116	117	119
19年後	52	53	54	54	55	55	56	56	57	57	58	58	59	60
20年後	0	0	0	0	0	0	0	0	0	0	0	0	0	0

●借入金額1,000万円あたりのローン残高の推移（3）：元利均等25年返済

	0.3%	0.4%	0.5%	0.625%	0.7%	0.8%	0.85%	0.9%	0.95%	1.00%	1.075%	1.10%	1.15%	1.20%
1年後	961	962	962	963	963	964	964	964	964	965	965	965	965	965
2年後	923	924	925	926	926	927	928	928	928	929	930	930	930	931
3年後	884	885	886	888	889	890	891	892	892	893	894	894	895	895
4年後	845	847	848	850	852	853	854	855	856	856	857	858	859	859
5年後	806	808	810	812	814	816	817	818	819	819	821	821	822	823
6年後	767	769	771	774	776	778	779	780	781	782	784	784	786	787
7年後	728	730	732	736	737	740	741	742	743	745	747	747	748	750
8年後	688	691	693	697	699	701	703	704	705	707	709	709	711	712
9年後	649	651	654	658	660	663	664	666	667	668	671	671	673	674
10年後	609	612	615	619	621	624	625	627	628	630	632	633	634	636
11年後	569	572	575	579	581	585	586	588	589	591	593	594	595	597
12年後	529	532	536	539	542	545	546	548	550	551	553	554	556	557
13年後	489	492	496	500	502	505	507	508	510	511	514	514	516	517
14年後	449	452	455	459	462	465	466	468	469	471	473	474	476	477
15年後	409	412	415	419	421	424	426	427	429	430	432	433	435	436
16年後	369	372	374	378	380	383	385	386	388	389	391	392	393	395
17年後	328	331	334	337	339	342	343	345	346	348	350	350	352	353
18年後	288	290	293	296	298	300	302	303	304	306	308	308	310	311
19年後	247	249	252	254	256	259	260	261	262	263	265	266	267	268
20年後	206	208	210	213	214	216	217	218	219	220	222	223	224	225
21年後	165	167	169	171	172	174	175	175	176	177	179	179	180	181
22年後	124	125	127	128	129	131	132	132	133	134	135	135	136	136
23年後	83	84	85	86	87	88	88	89	89	90	90	91	91	91
24年後	41	42	42	43	43	44	44	44	45	45	45	46	46	46
25年後	0	0	0	0	0	0	0	0	0	0	0	0	0	0

（単位：万円）

1.25%	1.30%	1.35%	1.40%	1.45%	1.50%	1.55%	1.60%	1.70%	1.80%	1.90%	2.00%	2.475%	3.00%	
966	966	966	966	967	967	967	967	968	968	968	969	971	973	1年後
931	931	932	932	933	933	933	934	935	935	936	937	941	945	2年後
896	896	897	898	898	899	899	900	901	902	904	905	910	916	3年後
860	861	862	863	863	864	865	866	867	869	870	872	878	886	4年後
824	825	826	827	828	829	830	831	832	834	836	838	846	855	5年後
788	789	790	791	792	793	794	795	797	799	801	803	813	823	6年後
751	752	753	754	755	757	758	759	761	764	766	768	779	791	7年後
713	715	716	717	718	720	721	722	725	727	730	732	744	757	8年後
675	677	678	680	681	682	684	685	688	691	693	696	709	722	9年後
637	638	640	641	643	644	646	647	650	653	656	659	672	687	10年後
598	600	601	603	604	606	607	609	612	615	618	621	635	650	11年後
559	560	562	563	565	567	568	570	573	576	579	582	596	612	12年後
519	521	522	524	525	527	528	530	533	536	539	542	557	573	13年後
479	480	482	483	485	486	488	489	493	496	499	502	516	533	14年後
438	439	441	442	444	445	447	448	451	455	458	461	475	491	15年後
396	398	399	401	402	404	405	407	410	413	416	419	433	448	16年後
355	356	357	359	360	362	363	364	367	370	373	376	389	404	17年後
312	313	315	316	317	319	320	321	324	327	329	332	345	359	18年後
269	270	272	273	274	275	276	278	280	282	285	287	299	312	19年後
226	227	228	229	230	231	232	233	235	237	240	242	252	264	20年後
182	183	184	184	185	186	187	188	190	192	194	195	204	214	21年後
137	138	139	139	140	141	141	142	144	145	147	148	155	163	22年後
92	92	93	93	94	95	95	96	97	98	99	100	105	110	23年後
46	47	47	47	47	48	48	48	49	49	50	50	53	56	24年後
0	0	0	0	0	0	0	0	0	0	0	0	0	0	25年後

●借入金額1,000万円あたりのローン残高の推移（4）：元利均等30年返済

	0.3%	0.4%	0.5%	0.625%	0.7%	0.8%	0.85%	0.9%	0.95%	1.00%	1.075%	1.10%	1.15%	1.20%
1年後	968	969	969	970	970	970	971	971	971	971	972	972	972	972
2年後	936	937	938	939	940	941	941	941	942	942	943	943	944	944
3年後	904	905	907	908	909	910	911	912	912	913	914	914	915	915
4年後	872	873	875	877	878	880	881	882	883	883	885	885	886	887
5年後	840	842	844	846	848	850	851	852	852	853	855	855	856	857
6年後	807	809	812	815	816	819	820	821	822	823	825	825	827	828
7年後	775	777	780	783	785	788	789	790	791	793	795	795	797	798
8年後	742	745	748	751	754	756	758	759	761	762	764	765	766	767
9年後	709	712	716	719	722	725	726	728	729	731	733	734	735	737
10年後	677	680	683	687	690	693	695	696	698	699	702	703	704	706
11年後	644	647	651	655	657	661	663	664	666	668	670	671	673	674
12年後	611	614	618	622	625	629	630	632	634	636	638	639	641	643
13年後	578	581	585	590	592	596	598	600	601	603	606	607	609	610
14年後	545	548	552	557	559	563	565	567	569	570	573	574	576	578
15年後	511	515	519	523	526	530	532	534	536	537	540	541	543	545
16年後	478	482	485	490	493	497	498	500	502	504	507	508	510	512
17年後	444	448	452	456	459	463	465	467	468	470	473	474	476	478
18年後	411	414	418	423	425	429	431	433	434	436	439	440	442	444
19年後	377	381	384	389	391	395	397	398	400	402	405	405	407	409
20年後	343	347	350	354	357	360	362	364	365	367	370	371	372	374
21年後	310	313	316	320	322	326	327	329	330	332	335	335	337	339
22年後	276	279	282	285	288	291	292	294	295	297	299	300	301	303
23年後	241	244	247	250	252	255	257	258	259	261	263	264	265	266
24年後	207	210	212	215	217	220	221	222	223	225	227	227	228	230
25年後	173	175	177	180	182	184	185	186	187	188	190	190	191	193
26年後	139	140	142	144	146	148	149	149	150	151	153	153	154	155
27年後	104	105	107	109	110	111	112	113	113	114	115	115	116	117
28年後	70	70	71	73	73	74	75	75	76	76	77	77	78	78
29年後	35	35	36	36	37	37	38	38	38	38	39	39	39	39
30年後	0	0	0	0	0	0	0	0	0	0	0	0	0	0

（単位：万円）

1.25%	1.30%	1.35%	1.40%	1.45%	1.50%	1.55%	1.60%	1.70%	1.80%	1.90%	2.00%	2.475%	3.00%	
972	973	973	973	973	973	974	974	974	975	975	975	977	979	1年後
944	945	945	946	946	946	947	947	948	949	950	950	954	958	2年後
916	917	917	918	918	919	920	920	921	922	924	925	930	935	3年後
887	888	889	890	890	891	892	893	894	896	897	899	905	913	4年後
858	859	860	861	862	863	864	865	867	868	870	872	880	889	5年後
829	830	831	832	833	834	835	836	839	841	843	845	855	865	6年後
799	800	801	803	804	805	806	808	810	812	815	817	828	840	7年後
769	770	772	773	774	776	777	778	781	784	786	789	801	814	8年後
738	740	741	743	744	746	747	749	751	754	757	760	773	788	9年後
707	709	711	712	714	715	717	718	721	725	728	731	745	760	10年後
676	678	679	681	683	684	686	688	691	694	697	701	716	732	11年後
644	646	648	649	651	653	655	656	660	663	667	670	686	703	12年後
612	614	616	618	619	621	623	625	628	632	635	639	655	673	13年後
580	581	583	585	587	589	591	592	596	600	603	607	624	642	14年後
547	549	550	552	554	556	558	560	563	567	571	574	592	611	15年後
513	515	517	519	521	523	525	526	530	534	538	541	559	578	16年後
480	481	483	485	487	489	491	493	496	500	504	507	525	544	17年後
445	447	449	451	453	455	456	458	462	466	469	473	490	509	18年後
411	413	414	416	418	420	422	423	427	430	434	438	455	474	19年後
376	377	379	381	383	384	386	388	391	395	398	402	418	437	20年後
340	342	344	345	347	348	350	352	355	358	362	365	381	399	21年後
304	306	307	309	310	312	314	315	318	321	325	328	343	359	22年後
268	269	271	272	274	275	276	278	281	284	287	290	303	319	23年後
231	232	234	235	236	237	239	240	243	245	248	251	263	277	24年後
194	195	196	197	198	199	201	202	204	206	209	211	222	235	25年後
156	157	158	159	160	161	162	163	165	166	168	170	180	190	26年後
118	118	119	120	121	121	122	123	124	126	128	129	136	145	27年後
79	79	80	80	81	82	82	83	84	85	86	87	92	98	28年後
40	40	40	41	41	41	41	42	42	43	43	44	47	50	29年後
0	0	0	0	0	0	0	0	0	0	0	0	0	0	30年後

●借入金額1,000万円あたりのローン残高の推移（5）：元利均等35年返済

	0.3%	0.4%	0.5%	0.625%	0.7%	0.8%	0.85%	0.9%	0.95%	1.00%	1.075%	1.10%	1.15%	1.20%
1年後	973	973	974	974	975	975	975	976	976	976	976	976	977	977
2年後	946	947	947	949	949	950	951	951	951	952	952	953	953	953
3年後	918	920	921	923	924	925	925	926	927	927	928	929	929	930
4年後	891	893	894	896	898	899	900	901	902	903	904	904	905	906
5年後	863	866	868	870	872	874	875	876	877	878	879	880	881	882
6年後	836	838	841	844	845	848	849	850	851	852	854	855	856	857
7年後	808	811	814	817	819	822	823	824	826	827	829	830	831	832
8年後	781	784	787	790	793	795	797	798	800	801	803	804	806	807
9年後	753	756	759	763	766	769	771	772	774	775	778	778	780	781
10年後	725	728	732	736	739	742	744	746	747	749	752	752	754	756
11年後	697	701	704	709	712	715	717	719	721	723	725	726	728	730
12年後	669	673	677	681	684	688	690	692	694	696	699	699	701	703
13年後	641	645	649	654	657	661	663	665	667	669	672	673	675	677
14年後	613	617	621	626	629	633	635	637	639	641	644	645	647	649
15年後	584	588	593	598	601	605	608	610	612	614	617	618	620	622
16年後	556	560	564	570	573	577	580	582	584	586	589	590	592	594
17年後	527	532	536	542	545	549	551	553	556	558	561	562	564	566
18年後	499	503	508	513	516	521	523	525	527	529	533	534	536	538
19年後	470	475	479	484	488	492	494	496	498	501	504	505	507	509
20年後	441	446	450	455	459	463	465	467	469	472	475	476	478	480
21年後	413	417	421	426	430	434	436	438	440	442	446	447	449	451
22年後	384	388	392	397	400	404	407	409	411	413	416	417	419	421
23年後	355	359	363	368	371	375	377	379	381	383	386	387	389	391
24年後	326	329	333	338	341	345	347	349	351	353	356	357	359	361
25年後	297	300	304	308	311	315	317	319	320	322	325	326	328	330
26年後	267	271	274	278	281	284	286	288	290	291	294	295	297	298
27年後	238	241	244	248	251	254	255	257	259	260	263	264	265	267
28年後	208	211	214	218	220	223	224	226	227	229	231	232	233	235
29年後	179	182	184	187	189	192	193	195	196	197	199	200	201	203
30年後	149	152	154	157	158	161	162	163	164	165	167	167	169	170
31年後	120	121	123	126	127	129	130	131	132	133	134	135	136	137
32年後	90	91	93	95	96	97	98	99	99	100	101	102	102	103
33年後	60	61	62	63	64	65	66	66	67	67	68	68	69	69
34年後	30	31	31	32	32	33	33	33	33	34	34	34	34	35
35年後	0	0	0	0	0	0	0	0	0	0	0	0	0	0

（単位：万円）

1.25%	1.30%	1.35%	1.40%	1.45%	1.50%	1.55%	1.60%	1.70%	1.80%	1.90%	2.00%	2.475%	3.00%	
977	977	977	978	978	978	978	979	979	979	980	980	982	984	1年後
954	954	955	955	955	956	956	957	957	958	959	960	963	967	2年後
930	931	932	932	933	933	934	934	936	937	938	939	944	949	3年後
907	907	908	909	910	910	911	912	913	915	916	918	924	931	4年後
882	883	884	885	886	887	888	889	891	893	894	896	904	913	5年後
858	859	860	861	862	864	865	866	868	870	872	874	884	894	6年後
833	835	836	837	838	840	841	842	845	847	849	852	863	874	7年後
808	810	811	813	814	815	817	818	821	823	826	829	841	854	8年後
783	785	786	788	789	791	792	794	797	800	803	805	819	833	9年後
757	759	761	762	764	766	767	769	772	775	778	782	796	812	10年後
731	733	735	737	738	740	742	744	747	750	754	757	773	789	11年後
705	707	709	711	712	714	716	718	722	725	729	732	749	767	12年後
678	680	682	684	686	688	690	692	696	700	703	707	724	743	13年後
652	654	656	658	660	662	664	665	669	673	677	681	699	719	14年後
624	626	628	630	632	635	637	639	643	647	651	655	674	694	15年後
597	599	601	603	605	607	609	611	615	620	624	628	647	668	16年後
569	571	573	575	577	579	581	584	588	592	596	600	620	642	17年後
540	542	545	547	549	551	553	555	560	564	568	572	593	614	18年後
512	514	516	518	520	522	525	527	531	535	540	544	564	586	19年後
482	485	487	489	491	493	495	498	502	506	510	515	535	557	20年後
453	455	457	459	462	464	466	468	472	477	481	485	505	527	21年後
423	425	427	430	432	434	436	438	442	446	451	455	475	497	22年後
393	395	397	399	401	403	405	407	411	416	420	424	443	465	23年後
363	364	366	368	370	372	374	376	380	384	388	392	411	432	24年後
332	333	335	337	339	341	343	345	349	352	356	360	378	399	25年後
300	302	304	306	307	309	311	313	316	320	324	327	345	364	26年後
269	270	272	274	275	277	279	280	284	287	290	294	310	328	27年後
236	238	239	241	242	244	246	247	250	253	256	259	274	291	28年後
204	205	207	208	209	211	212	213	216	219	222	225	238	253	29年後
171	172	173	175	176	177	178	179	182	184	187	189	201	214	30年後
138	139	140	141	142	143	144	145	147	149	151	153	163	174	31年後
104	105	105	106	107	108	109	109	111	112	114	116	123	132	32年後
70	70	71	71	72	72	73	73	75	76	77	78	83	90	33年後
35	35	36	36	36	36	37	37	38	38	39	39	42	45	34年後
0	0	0	0	0	0	0	0	0	0	0	0	0	0	35年後

さくいん

あ

か

さ

た

な

は

ま

や

ら

●著者紹介
浅井秀一（あさい・しゅういち）
ファイナンシャル・プランナー（ＣＦＰ）。
1964年、愛知県生まれ。早稲田大学第一文学部卒業。
1988年に学生では初の日本ＦＰ協会の会員となる。
現在は、おもに個人のプランニング業務を中心とする㈲ストックアンドフローの代表取締役として活躍中。
おもな著書に、「佐藤江梨子と浅井秀一のいちばんやさしいマネープラン」（日本経済新聞社）、「いますぐに、住宅ローンを借り換えしなさい！」（ダイヤモンド社）などがある。

本書の内容に関するお問い合わせは、**書名、発行年月日、該当ページを明記**の上、書面、FAX、お問い合わせフォームにて、当社編集部宛にお送りください。**電話によるお問い合わせはお受けしておりません。**
また、本書の範囲を超えるご質問等にもお答えできませんので、あらかじめご了承ください。
FAX：03－3831－0902
お問い合わせフォーム：http://www.shin-sei.co.jp/np/contact-form3.html

落丁･乱丁のあった場合は、送料当社負担でお取替えいたします。当社営業部宛にお送りください。

図解 わかる住宅ローン

2022年６月25日　初版発行

著　者　浅　井　秀　一
発行者　富　永　靖　弘
印刷所　公和印刷株式会社

発行所　東京都台東区台東２丁目24　株式会社　新星出版社
〒110-0016　☎03(3831)0743

 Printed in Japan

ISBN978-4-405-10400-6